HET VERHAAL VAN EEN KORT HUWELIJK

Anuk Arudpragasam

Het verhaal van een kort huwelijk

VERTAALD DOOR
HIEN MONTIJN

2017
DE BEZIGE BIJ
AMSTERDAM | ANTWERPEN

1

DE MEESTE KINDEREN hebben twee hele benen en twee hele armen, maar de kleine zesjarige die Dinesh in zijn armen droeg had al een been verloren, het rechter, vanaf net boven de knie, en stond nu op het punt zijn rechterarm te verliezen. Door granaatscherven waren zijn hand en onderarm al gedesintegreerd tot een zachte, vormloze massa die deels op de grond droop, deels samenklonterde en voor de rest zwartgeblakerd was. Drie vingers waren al helemaal weg en onmogelijk nog te achterhalen, en de twee resterende, de wijsvinger en de duim, bungelden aan heel dunne draadjes aan zijn hand. Ze deinden onzeker en zachtjes tegen elkaar tikkend in de lucht, tot Dinesh bij de operatieruimte aankwam, waar hij op de grond knielde en de jongen voorzichtig op een vrij stuk zeil neerlegde. Zo te zien bewoog zijn borst nauwelijks. Zijn ogen waren dicht en zijn gezicht was kalm, onwetend. Het was overduidelijk dat hij er niet best aan toe was, maar voorlopig ging het om de veiligheid van de jongen. De dokter zou spoedig komen en de operatie verrichten, en de arm zou binnen de kortste tijd even mooi helen als de geamputeerde dij al was geheeld. Dinesh richtte zijn blik op de dij en bestudeerde de gladde, eigenaardig welgevormde ronde stomp.

Volgens het zusje van de jongen was die verminking het gevolg van een vier maanden eerder ontplofte landmijn, hetzelfde ongeluk waarbij ook hun ouders omkwamen. De amputatie was in een nabijgelegen hospitaal uitgevoerd, een van de weinige die toen nog in bedrijf waren; op de haarloze huid waren nauwelijks littekens en zelfs de hechtingen waren met moeite te zien. In de afgelopen maanden had Dinesh tientallen geamputeerde mensen met dergelijke stompen gezien, in verschillende stadia van herstel, afhankelijk van hoe lang geleden de ingreep had plaatsgevonden, maar op de een of andere manier kon hij nog steeds niet de werkelijkheid van al deze afgeknotte ledematen bevatten. Ergens leken ze nep of verbeelding. Om deze gedachte te verdrijven, hoefde hij natuurlijk alleen maar zijn arm uit te steken en het lichaamsdeel vóór hem aan te raken om voor eens en altijd te weten te komen of de huid om de stomp net zo glad aanvoelde als ze leek te zijn of eigenlijk ruw was, of je onderhuids het harde bot kon voelen of dat dat ding dat eruitzag als beurs fruit inderdaad zacht was, maar Dinesh verroerde zich niet, misschien uit angst het kind wakker te maken of om een andere reden. Hij zat daar gewoon met zijn gezicht op enkele centimeters van de stomp, volledig roerloos.

De dokter kwam met een van de verpleegsters vlak achter hem aan, knielde zonder iets te zeggen op het zeil en bekeek de verminkte onderarm. Er was geen chirurgisch materiaal in de kliniek, geen verdovingsmiddelen, algehele noch lokale, geen pijnbestrijders of antibiotica, maar uit het gezicht van de dokter viel op te maken dat er geen andere keuze was dan aan het werk te gaan. Hij gebaarde de verpleegster om de linkerarm en het linkerbeen van de jongen tegen de grond te drukken en Dinesh om het hoofd en de rechterschouder vast te houden. Hij hield het keukenmes dat voor het amputeren werd gebruikt omhoog, verifieerde dat het naar behoren schoon was en met een knik naar zijn twee assistenten plaatste hij de scherpe punt vlak onder de rechterelleboog. Dinesh zette zich schrap. De dokter drukte door, de punt sneed en de jongen die tot dan toe in een diepe, stille slaap had verkeerd, kwam tot leven. Hij opende zijn ogen, de aderen in zijn hals en langs zijn slapen zwollen op en hij slaakte een zachte kreet die onophoudelijk aanhield, terwijl de dokter, die langzaam was begonnen in de hoop dat de jongen zolang de operatie duurde bewusteloos zou blijven, nu stevig, zonder te aarzelen, door het vlees zaagde. Bloed druppelde op het zeil en stroomde weg op de grond. In de veilige beschutting van zijn schoot streelde Dinesh het kleine hoofd van de jongen. Je kon slechts gissen of het een goede zaak was dat hij zijn rechterarm kwijtraakte en niet zijn linker. Het evenwicht van de jongen was uiteraard niet gebaat bij alleen een linkerarm en een linkerbeen, maar welbeschouwd zou hij slechter af zijn geweest met een rechterarm en een linkerbeen, of een linkerarm en een rechterbeen, want als je erover nadacht waren dat minder gelijkmatig uitgebalanceerde combinaties. Met twee goede ledematen aan tegenovergestelde kanten zou de jongen natuurlijk met een kruk kunnen lopen, want hij zou met zijn goede arm de kruk kunnen vasthouden die het slechte been verving. Maar uiteindelijk hing het ervan af welk hulpmiddel de jongen ter beschikking zou staan wanneer hij eenmaal hersteld was. Rolstoel, krukken of alleen zijn ene been, en dus was het voorlopig te vroeg om te kunnen zeggen of hij wel of niet had geboft.

De dokter sneed nog steeds door het vlees, niet met snelle, efficiënte halen, maar met ongelijke, zagende bewegingen. Zijn gezicht bleef onbewogen, ook toen het mes langs het bot raspte, alsof de ogen die de gebeurtenis gadesloegen aan iemand anders toebehoorden dan degene wiens handen de amputatie verrichtten. Dinesh had geen idee hoe de dokter dit dag in, dag uit kon doen. Het was bekend dat hij, toen de frontlinies oostwaarts opschoven, uit eigen beweging had verkozen achter te blijven om degenen die daar vastzaten te helpen en niet mee te verhuizen naar de veilige regeringsgebieden. Terwijl het ene na het andere hospitaal door granaatvuur verwoest werd, ging hij van het ene naar het andere, en toen de week ervoor het laatste lokale hospitaal waar hij in het kamp gewerkt had was beschoten, besloot hij samen met een kleine medische staf om van het naburige verlaten schoolgebouw een noodkliniek te maken, in de hoop dat dat onopvallend genoeg was om gewonde burgers in veiligheid te kunnen behandelen. Ze runden de kliniek volgens een soort lopendebandmethode: allereerst droegen vrijwilligers de gewonden naar de operatieruimte, waar verpleegsters de wonden schoonmaakten en elk slachtoffer zo goed als mogelijk klaarmaakten voor de ingreep, vervolgens kwam de dokter, die de ingreep uitvoerde en meteen doorging naar de volgende persoon, terwijl hij het hechten van de wonden en het aanleggen van verband aan de verpleegsters overliet, tenzij het om een kind ging; in dat geval stond de dokter erop alles zelf te doen. Daarna werd de gewonde overgebracht naar de voorkant van de kliniek; daar werd hij, terwijl familieleden hem gezelschap hielden, om de zoveel tijd onderzocht door de verpleegsters en ofwel hij herstelde en kon algauw op eigen kracht de kliniek verlaten ofwel hij stierf en dan moesten vrijwilligers hem wegdragen om hem te begraven. Zo ging de dokter dag in dag uit van de vroege ochtend tot de late avond van patiënt naar patiënt, terwijl hij hoegenaamd geen emotie toonde tijdens het uitvoeren van zijn operaties, nooit moe werd en nauwelijks rust nam, behalve twee keer per dag om te eten, en 's nachts enkele uren waarin hij probeerde te slapen. Dinesh wist dat hij een bijzonder mens was, die niet genoeg geprezen kon worden, maar uit zijn gezicht viel niet op te maken hoe hij op deze manier had kunnen doorgaan en of hij nog enig gevoel bezat.

Het doffe geluid van het mes door het vlees werd vervangen door het schrapen van de tanden tegen het zeil en ten slotte hield het snijden op. Het hoofd van het kind lag slap in Dinesh' schoot, zijn gezicht weer onwetend.

De dokter hield wat restte van de arm, die nu net onder de elleboog eindigde, omhoog en ving met een doek het nog druipende bloed op. Met een ander, in water gekookt en met jodium doordrenkt doekje depte hij de wond, zette de dunne flapjes overtollige huid zorgvuldig vast en verbond de wond ten slotte behendig met een van hun laatste rollen verband. Toen alles was gedaan, nam de dokter de jongen in zijn armen en liep met de verpleegster weg op zoek naar een kalme plek waar hij kon rusten. Dinesh, wiens taak het was op te ruimen, staarde naar de kleine bloederige hand en onderarm en vroeg zich af wat hij daarmee moest doen. Uiteraard lagen er her en der verspreid in het kamp volop naakte lichaamsdelen, vingers, tenen, ellebogen en dijen, zoveel dat niemand er wat van zou zeggen als hij de arm gewoon onder een struik of naast een boom zou achterlaten. Maar die andere lichaamsdelen waren anoniem, terwijl dit lichaamsdeel aan iemand had toebehoord, en dat betekende, meende hij, dat het op een fatsoenlijke manier opgeruimd moest worden. Hij kon het misschien begraven of verbranden, maar hij vond het eng om het aan te raken. Niet vanwege het bloed; het bloed van het kind had al vlekken op zijn handen en sarong gemaakt, maar omdat hij het zachte, net geamputeerde vlees niet tussen zijn vingers wilde voelen, de warmte van een lichaamsdeel dat zojuist nog leefde. Hij zou veel liever wachten tot al het bloed was weggelopen en het lichaamsdeel was verstijfd; als hij dan de geamputeerde arm oppakte, zou het net zijn of hij een stok of een tak oppakte, niet dat het erg veel zou uitmaken, maar wel iets. Terwijl hij zat te piekeren, kwam een meisje met heel dunne enkels en lange brede voeten zijn kant uit lopen; ze had haar armen strak om haar borst geslagen en met haar vingers friemelde ze aan de zijkanten van haar jurk. Ze was het oudere zusje van de jongen, zijn enige nog levende familie, en ze kwam uit de kliniek, waar men haar tijdens de ingreep had laten wachten. Zonder een woord voor of een blik op Dinesh, zonder te huilen, maar met ogen die nog gezwollen en nat waren, knielde ze voor het bloederige zeil en spreidde een stuk afgescheurde sari uit over waar haar broertje zojuist had gelegen. Ze pakte voorzichtig het geamputeerde lichaamsdeel op, zodat de hand niet van de onderarm afviel en de vingers niet van de hand vielen, en legde dat zorgvuldig op de rand van de stof. Heel omzichtig rolde ze de stof om het lichaamsdeel, in meerdere lagen materiaal, als was het een sierlijk gouden juweel of iets wat aan bederf onderhevig was en voor een lange reis bewaard moest worden, en toen het zo volledig was ingepakt dat alleen nog de sari zichtbaar was, stond ze langzaam op, hield het ding tegen haar borst, draaide zich zonder iets te zeggen om en liep weg.

Het was laat op de middag van een roerloze, bewolkte dag. Dinesh verplaatste zijn gewicht naar zijn benen en hees zich omhoog. Hij bleef even staan om de duizeligheid van het overeind komen te laten afebben, richtte vervolgens zijn blik op de grond voor hem en begon in westelijke richting van de kliniek vandaan te lopen. Het had de afgelopen nacht slechts een beetje geregend, maar de okerkleurige grond tussen de zeilen was donkerbruin gekleurd en geglaceerd met een laag zachte rode slijk. Om niet in de brij uit te glijden of op de her en der verspreid liggende handen en voeten te trappen liep Dinesh met lange, soepele stappen over de lichamen, waarbij hij zich ervan vergewiste bij elke stap eerst zijn voorste voet goed neergezet te hebben voor hij zijn andere voet van de grond lichtte. Hij nam het zich een beetje kwalijk dat hij wegging, maar de dringende operaties waren min of meer gedaan en er was, voorlopig althans, weinig te doen. Sinds de beschieting had hij de gehele dag rondom de kliniek geholpen en hadden de gewonde en treurende mensen met hun kreten zijn oren doen tuiten, en het enige wat hij nu wilde was een rustig plekje om te zitten, uit te rusten en te denken, een plek waar hij in alle rust kon nadenken over het voorstel dat hem eerder op de ochtend was gedaan. Hij stond iets ten noorden van de kliniek een graf te graven, toen een lange, enigszins gebogen man die hij ergens van kende, maar waarvan wist hij niet meer, zijn hand had gegrepen, zichzelf had voorgesteld als Somasundaram en hem haastig terzijde had genomen. Onverwachts onderbroken in zijn rustige, soepele graafritme had Dinesh zijn best gedaan zijn onthutsing te onderdrukken en te begrijpen wat er gebeurde. Hij had hem de dag ervoor in de kliniek aan het werk gezien, zei de man, en het was duidelijk dat hij een goede jongen was, dat hij enige opleiding had genoten, dat hij verantwoordelijkheidsgevoel had en de juiste leeftijd. Ganga, zijn enige kind nadat haar broer twee weken eerder gedood was, was ook een goed meisje. Ze was knap, en intelligent en had verantwoordelijkheidsgevoel, maar vooral was ze, en daar ging het om, een goed meisje. Terwijl hij dit zei, met zijn gele ogen, zijn onverzorgde haren, zijn hals en verwilderde gezicht bedekt onder een grijze korst, keek hij Dinesh aan. Toen sloeg hij zijn ogen neer. Eigenlijk wilde hij niet dat ze trouwde, hij wilde alleen maar dat ze veilig was en dicht bij hem, want hij zou het niet kunnen verdragen ook haar te verliezen, nu de rest van zijn gezin dood was. Het idee van een huwelijk was gisteren nog niet eens bij hem opgekomen, zei hij, met een vieze duim een traan van zijn wang vegend, maar zodra hij Dinesh in de kliniek had gezien, had hij geweten dat hij zijn verantwoordelijkheid moest nemen, dat het iets was wat hij ten behoeve van zijn dochter moest doen. Hij was een oude man die binnenkort zou sterven en het was zijn plicht iemand te vinden die voor haar zou zorgen wanneer hij er niet meer was. Het deed er niet toe of hun horoscopen bij elkaar pasten, of welke dag of tijd het gunstigst was, want het was klaarblijkelijk onmogelijk om altijd alle rituelen te volgen. Dinesh had onderwijs genoten en was een goede jongen met verantwoordelijkheidsgevoel, zei hij, weer opkijkend, en daar ging het om. In het kamp was een Iyer die de ceremonie kon voltrekken en als Dinesh ja zei, zou de Iyer hen meteen trouwen.

Aanvankelijk had Dinesh alleen maar nietszeggend naar meneer Somasundaram teruggekeken, niet wetend wat te zeggen. Hij wist niet of hij alles wat gezegd was had begrepen en hij had hoe dan ook niet echt tijd om erover na te denken, want hij moest zo snel mogelijk de kuil graven om in de kliniek plaats vrij te kunnen maken voor alle nieuwe mensen die na de ochtendlijke beschieting waren gekomen. Bij het zien van zijn aarzeling voegde meneer Somasundaram eraan toe dat er geen haast bij was, dat het belangrijk was dat Dinesh enige tijd zou nemen om over zijn beslissing na te denken. Weliswaar was de Iyer de dag ervoor gewond geraakt, maar tot nu toe ging het wel goed met hem en als Dinesh in de loop van de middag ja zei, was er geen reden dat de Iyer niet in staat zou zijn hen te trouwen. Dinesh zweeg nog een tijdje en gaf toen aan dat hij het had begrepen. Hij bleef nog even staan nadat meneer Somasundaram was vertrokken en keerde toen terug naar de grafkuil om verder te graven. Hij stak zijn schop in de aarde, duwde met zijn geringe gewicht op het handvat en schepte de grond op die hij losgewoeld had terwijl hij het graafritme weer trachtte op te pakken. In zekere zin zou het voorval hem helemaal niet moeten verbazen, want het was duidelijk waarom meneer Somasundaram zijn dochter probeerde uit te huwelijken, misschien niet speciaal aan hem, maar aan iedere huwbare man die hij kon vinden. De afgelopen twee jaar hadden ouders wanhopig geprobeerd hun kinderen uit te huwelijken, met name hun dochters, in de hoop dat die gehuwd minder kans liepen door de beweging opgeroepen te worden. Inmiddels liepen getrouwde kinderen weliswaar net zoveel kans als ongetrouwde om voor de strijd gerekruteerd te worden, maar nochtans bleven veel ouders proberen hun dochters uit te huwelijken in de veronderstelling dat meisjes in gehuwde staat, eenmaal in handen van de regeringstroepen gevallen, minder risico liepen onteerd te worden en dat de soldaten andere prooi zouden prefereren. Daarom begreep Dinesh heel goed waarom het voorstel was gedaan, maar hij vond het heel wat lastiger om te bedenken wat het precies voor hem betekende en wat zijn reactie moest zijn. Eigenlijk had hij er misschien eerder over moeten nadenken, tijdens het graven zijn gedachten op de kwestie moeten concentreren, maar hij had het een goed idee gevonden om te wachten tot hij klaar was met de grafkuil, misschien omdat het werk dat hem te doen stond te veel afleidde, of misschien omdat hij niet wist hoe hij de kwestie moest aanpakken, of misschien omdat het op de een of andere manier aangenaam was de afhandeling uit te stellen. Echter, zodra het graven gedaan was, had hij te horen gekregen dat hij de lichamen van de kliniek naar het graf moest overbrengen en daarna mee moest helpen de gewonden vanuit het kamp naar de kliniek te vervoeren. Te midden van alle chaos en geschreeuw had hij helemaal niet meer aan het voorstel gedacht en nu hij eindelijk van al zijn taken ontheven was, ontdekte hij dat zijn aanvankelijke gebrek aan inzicht was vervangen door een kalme, overweldigende verwondering. Het was alsof hij zich al die maanden in een dikke mist had bewogen, zonder na te denken had gedaan wat er van hem werd verwacht, waarbij hij weigerde notitie te nemen van de buitenwereld en die tot hem door te laten dringen, en nu, overvallen door het onverwachte voorstel, plotseling ontwaakt na hij wist niet hoe lang in die staat te hebben verkeerd, zag hij voor de eerste keer zijn situatie onder ogen, was hij zich scherp bewust van al die mensen om hem heen en van zichzelf terwijl hij tussen al die mensen door behoedzaam zijn weg zocht.

In een tijdsbestek van enkele weken waren vele tienduizenden daar samengestroomd. Enkelen waren recentelijk uit nabijgelegen dorpen weggehaald, maar de meesten waren vluchtelingen uit noordelijke, zuidelijke en westelijke dorpen, die hun huizen al veel eerder hadden verlaten en al vele maanden op de vlucht waren, van wie sommigen, zoals Dinesh, al bijna een jaar. Elke keer dat ze ergens een kamp opzetten, hadden ze gehoopt dat het de laatste keer zou zijn voordat de beweging de regeringstroepen definitief zou terugdringen en elke keer werden ze door oprukkende beschietingen gedwongen hun biezen te pakken en verder oostwaarts te gaan. Met horten en stoten hadden ze zo de noordelijke provincie van west naar oost afgereisd, door de beschietingen opgedreven in het steeds kleiner wordende territorium dat in het noordoosten standhield, totdat ze, toen ze hoorden over het nog functionerende districtshospitaal en het kamp dat zich daaromheen had gevormd, en van de beweging de verzekering kregen dat dat veilig gebied was dat het leger nooit zou kunnen veroveren, ten slotte uit wanhoop naar het kamp waren gekomen, waar ze dagelijks door steeds meer mensen werden gevolgd en met elke groep werd het tentenkamp rondom het hospitaal groter, zoals rondom een gouden schrijn een enorme tempel wordt gebouwd. De eerste granaten waren slechts twee weken eerder op het kamp gevallen, op het hospitaal net de week ervoor en sindsdien waren de beschietingen dagelijks zwaarder en langduriger geworden. Elke aanval bespikkelde het dichtbevolkte gebied met tientallen cirkels van verschroeide zwarte aarde, die merendeels slechts korte tijd onbezet bleven voordat nieuwe bewoners ze in bezit namen. Elk deel van het kamp was bestookt, zelfs een van de schoolgebouwen waarin een geïmproviseerde kliniek was ondergebracht was ondanks de kleine afmetingen geraakt, en in de afgelopen paar dagen was waarschijnlijk een zevende of een achtste deel van de mensen die daar leefden gedood. Er gingen geruchten dat de finale aanval op het gebied in de komende paar dagen zou plaatsvinden, dat het districtshospitaal spoedig zou ophouden te functioneren, dat zelfs de dokter en zijn staf van plan waren de kliniek te verlaten en zich verder oostwaarts zouden vestigen en als reactie waren sommige mensen al begonnen hun spullen te pakken en te vertrekken. Enkelen probeerden over te lopen naar de regeringszijde in de hoop daar opgevangen te worden, maar het was bijna zeker dat de gevechten aan de frontlinie te hevig waren om er levend doorheen te komen. De beweging zou schieten op eenieder die ze op weglopen betrapte en als ze al de andere kant bereikten, wist niemand wat de soldaten met hen zouden doen. In plaats daarvan waren de meesten van plan verder oostwaarts te gaan, dichter naar de kust en verder van de frontlinies, hoewel degenen die wilden blijven beweerden dat de beschietingen daar waarschijnlijk even erg zouden zijn. Het was zinloos, zeiden ze, om uit gewoonte nog verder oostwaarts te trekken, er resteerde nog slechts een kleine strook land, over nog geen twee kilometer waren ze aan zee en dan konden ze nergens meer heen. Ongeveer een week eerder ging een verhaal rond over een groep van vijfentwintig of dertig mensen die aan boord van een achtergelaten vissersboot waren gegaan in de hoop op de een of andere manier India te bereiken. Twee dagen later was de boot aangespoeld met daarin de met kogels doorzeefde, lichtblauwe, opgezwollen lichamen van enkele volwassenen en een paar kinderen. Daarom, was het argument, was de beste optie om in het kamp te blijven tot de strijd zou ophouden, in de schuilgangen te blijven als de granaten vielen en te hopen tot het einde ongedeerd te blijven.

Dinesh, dat behoeft geen betoog, had zo zijn twijfels of de dingen zo zouden verlopen. Hij had geen enkel overtuigend bewijs dat hij zou sterven en niet zou overleven, maar in dergelijke omstandigheden was geloof in iets wellicht gemakkelijker dan onzekerheid en hij neigde tot de eerste mogelijkheid. Er waren geen aanwijzingen dat er minder werd gevochten en volgens hem was het slechts een kwestie van tijd voordat hij of tijdens een beschieting de dood zou vinden of opgeroepen en vervolgens in de strijd gedood zou worden. En als dat inderdaad het geval was, als hem slechts nog enkele dagen of enkele weken restten, hooguit een maand als hij geluk had, dan moest een zo goed mogelijk gebruik van de resterende tijd hem in zijn besluitvorming leiden en in dat geval was het misschien verstandig dat hij trouwde. Misschien zou het hem goeddoen om de tijd die hem restte door te brengen in gezelschap van een ander menselijk wezen. Ondanks het feit dat hij het afgelopen jaar grotendeels omringd was geweest door een ontelbaar aantal mensen, had hij geen idee wanneer hij voor het laatst werkelijk contact met iemand had gehad. Hij kon zich niet eens meer herinneren wat het was om met iemand anders tijd door te brengen, om gewoon in iemands gezelschap te verkeren, en wellicht was dat, als hij de kans kreeg, de moeite waard. Betekende doodgaan tenslotte niet gescheiden worden van andere menselijke wezens, van de stroom van menselijke bedrijvigheid, gebaren, geluiden en gezichtsuitdrukkingen waarop je jaren had gedobberd, betekende het niet afstand doen van de mogelijkheid tot contact met een ander menselijk wezen, die je aanwezigheid te midden van anderen altijd bood? Tenzij doodgaan anderzijds vooral betekende van jezelf gescheiden te worden, gescheiden te worden van alle intieme details waaruit iemands leven was gaan bestaan. In dat geval zou hij daarentegen moeten proberen alleen te zijn, zijn resterende tijd moeten wijden om de vorm van zijn handen en voeten, de structuur van zijn haar, vingernagels en tanden in zich op te nemen, voor een laatste keer zich bewust te zijn van het geluid van zijn eigen ademhaling, het gevoel van zijn uitzettende en inkrimpende borstkas. Natuurlijk had hij geen echt idee wat doodgaan betekende, hij was niet in een positie helder over dat onderwerp na te denken. Waarschijnlijk hing het af van wat leven betekende, en hoewel hij al een tijdje leefde, wist hij eigenlijk niet meer of het had betekend samen met andere mensen te zijn of vooral alleen met zichzelf.

Dinesh merkte op dat de grond onder hem niet langer voorbijgleed. Kennelijk was hij stil blijven staan, maar hoe lang hij daar al roerloos stond wist hij niet. Uit de stoffige kaalheid van het gebied maakte hij op dat hij zich bij de noordoostelijke grens van het kamp bevond, behoorlijk ver van de kliniek vandaan. Verspreid om hem heen en in de verte begrensd door stoffige struiken en vermoeide, slaphangende bomen stonden, overeind gehouden door stokken die niet langer dan een meter waren, enkele witte tenten, de recentste uitbreiding van het kamp. Het omringende terrein was bezaaid met spullen, met tassen, pakjes, potten, pannen en fietsen, op de grond ernaast lagen of hurkten mensen in groepjes van drie of vier, sommige sliepen, andere wachtten alleen maar, en voor zover hij kon zien sprak niet een van hen. Dinesh liep naar een dunne, kale boom, en passeerde daarbij een vrouw die in haar eentje zat en dwangmatig zand van de grond at – hap na hap, zonder te kauwen, aangezien zand niet gekauwd kan worden, maar ze vermengde het zand met speeksel en slikte het dan gewoon door. Hij liet zich vermoeid tegen de boom zakken, met zijn rug heerlijk tegen de schors gedrukt, en strekte zijn benen uit zodat zijn dijspieren, uitgeput van al het graven, eindelijk konden ontspannen. Hij leunde voorover en begroef zijn gezicht in zijn handen. Hij had die nacht helemaal niet geslapen, de hele week nauwelijks. Diep in zijn achterhoofd bonsde het, en zijn ogen waren zwaar alsof zich langs de randen van zijn oogleden lood had opgehoopt waardoor ze zo uitrekten dat ze binnenkort doorzichtig zouden zijn. Hij hield zijn ogen dicht en masseerde zijn oogleden krachtig met zijn duimen, registreerde hoe het bloed traag door de dunne huid van zijn oogleden stroomde, zwaar op zijn vermoeide ogen klopte. Het was niet dat hij niet geprobeerd had te slapen, maar hoe moe hij ook was en hoe hard hij ook probeerde, hij kon nooit erg lang of goed slapen. Zijn slaap was altijd licht, oppervlakkig en gemakkelijk te onderbreken. Misschien had dat te maken met het feit dat het moeilijk was op een niet-vertrouwde plek in slaap te vallen, zoals je, wanneer je voor het eerst een bepaalde bus of trein neemt, altijd enigszins bang bent dat er iets misgaat wanneer je indommelt, dat je tas misschien wordt gestolen of dat je de halte mist. Dinesh was nu drie weken in dit kamp, en hij voelde zich er weliswaar niet thuis, maar hij was zeker geen volslagen vreemde meer; de kleine plek in de jungle net ten noordoosten van de kliniek die hij zich eigen had gemaakt, was rustig en comfortabel, een plek waar hij als hij wilde kon uitrusten als in de beschutting van zijn eigen kamer. Iedere avond ging hij daarheen en legde zich te ruste, maar zodra hij zijn ogen sloot en wegdommelde, terwijl zijn bewustzijn zachtjes heen en weer wiegde in de richting van een droom, voelde hij hoe in hem plotseling een gevoel van onzekerheid of een naar voorgevoel de kop opstak. Het was alsof hij zich door in slaap te vallen blootstelde aan een gevaar dat slechts door wakker te blijven afgewend kon worden, alsof de grond, wanneer hij zijn bewustzijn volledig losliet, onder hem vandaan zou wijken en hij achterwaarts door de duisternis vallend ergens terecht zou komen waar hij niet wilde wezen.

Voordat het schieten begon, voordat de aarde begon te schokken, was er altijd gedurende een fractie van een seconde een geruis ver weg als van lucht die met hoge snelheid door een buis suist, een gesis dat vloeiend overging in een gefluit. Dat fluiten hield enige tijd aan en vervolgens vond er een sidderende beving plaats, ongeacht waar je stond, schudde de grond onder je voeten, waarna een striemend hete luchtvlaag en ten slotte een oorverdovende explosie volgden. Het was een luide, ondraaglijk luide explosie, onmiddellijk gevolgd door andere, zo luid dat al na de eerste de volgende niet meer te horen waren. Ze konden slechts geregistreerd worden als de alomtegenwoordige afwezigheid van geluid, als een serie leegten of vacuüms in de geluidssfeer, dusdanig groot dat zelfs het geluid van denken niet te horen was. De wereld werd stom, als een stomme film en als resultaat bracht de beschieting vaak een gevoel van kalmte in Dinesh teweeg. Hij sprong niet overeind om beschutting te zoeken, maar bleef eerst roerloos staan, haalde diep adem, keek verbaasd en ook enigszins verward om zich heen alsof de draad die hem had geleid in de rust voor de beschietingen plotseling doorgeknipt was. Hij probeerde zijn positie te bepalen en dan pas begon hij te lopen, langzaam, rustig, niet naar een van de schuilgangen die over het hele kamp verspreid waren aangelegd, maar naar het stuk oerwoud dat de noordelijke grens van het kamp scheidde van de kust. Op een dag had hij daar rondgelopen en een kleine houten vissersboot aangetroffen, die iemand, waarschijnlijk de eigenaar, landinwaarts had getrokken en met de bodem omhoog gelegd, in de hoop dat hij daar veiliger was dan op het strand. Over de geschilderde buitenkant was zich al een laag mos beginnen te vormen, maar de naam, Sahotharaa, was nog steeds, ondersteboven aan de voorkant, leesbaar. De rand van de boot liep in een boog omhoog naar de boeg en achtersteven en hij ontdekte dat hij via het middengedeelte in de donkere, koele, besloten schuilplaats kon kruipen. De lucht was enigszins bedompt, maar de boot was lang en binnen was ruimte om zich uit te strekken, zelfs om te slapen, maar om de een of andere reden kon Dinesh tijdens beschietingen niet languit liggen. In plaats daarvan zat hij rechtop, voorovergeleund om niet met zijn hoofd tegen de nu als dak dienende bodem te stoten, zijn knieën opgetrokken en zijn armen eromheen. Zo zat hij naar het leek uren achtereen naar de grond voor hem te staren, terwijl het hout bij elke nieuwe explosie kraakte, vlagen hete lucht naar binnen golfden en wegtrokken via de kieren tussen de boot en de grond, en hij zijn lichaam ontspande in plaats van verkrampte zodat hij zichzelf kon voelen trillen wanneer de aarde schokte. Op zulke momenten voelde hij zich altijd merkwaardig onstoffelijk, alsof hij van buitenaf naar zichzelf keek, keek hoe zijn handen vanzelf ineensloegen en zijn vingers zich vanzelf verstrengelden. Gelaten registreerde hij hoe zijn borst uitzette en inkromp, hoe lucht in en uit zijn mond ging, en zo bleef hij in- en uitademen, lang nadat de beschieting was afgelopen.

Natuurlijk reageerde niet iedereen zo en Dinesh aanvankelijk, toen zijn moeder nog leefde en hij minder berustend stond tegenover alles wat er om hem heen gebeurde, ook niet. In het begin deed hij mee met het algemene misbaar, met het gegil en geschreeuw en de uitzinnige pogingen om vrienden en familie te vinden voordat de beschieting zo erg werd dat iedereen moest ophouden in het rond te rennen. Met gebruik van houten planken en stenen van nabijgelegen gebouwen waren mensen in het kamp dankzij onderlinge samenwerking erin geslaagd honderden schuilgangen aan te leggen om zich tijdens de bombardementen in te verschuilen. Sommige waren bijna manshoog, maar de meeste waren niet dieper dan een meter twintig en net groot genoeg voor negen à tien in elkaar gedoken en dicht opeengepakte mensen. Naast de openingen lagen bladeren van kokos- en palmyrapalmen, en als ze geluk hadden golfplaten, en als het tijd was om onder te duiken, trokken ze dit materiaal als afdekking over hun hoofden. De schuilgangen boden geen bescherming aan in de onmiddellijke nabijheid neerkomende granaten, en hoewel ze beschutten tegen granaatscherven, veruit de grootste oorzaak van al dan niet dodelijke verwondingen, was hun nut vooral dat de onderduikers zich omringd wisten door vier dichte wanden, een vloer en een dak, net zoals struisvogels die bij dreigend gevaar verkiezen niet weg te rennen, maar liever hun kop in het zand steken zonder zich te bekommeren om hun onbeschutte lijf. Bij elke explosie schudde de grond onder hen, brokkelde de klei beetje bij beetje van de aarden muren; in deze donkere schuilgangen zaten ze, hun lichamen krampachtig roerloos, en terwijl in hun hoofden de gedachten raasden als gasdeeltjes in een verhitte container, probeerden ze de inslag van elke granaat ten opzichte van hun locatie te schatten, vroegen ze zich af of er misschien bij een bepaalde explosie bekenden waren getroffen, voorspelden ze op grond van verschillende modellen waar de volgende granaten zouden vallen en herzagen die modellen als ze fout bleken, en intussen was hun enige steun de beperkte ruimte en de gejaagde of ontspannen, snelle of langzame ademhaling van de anderen die zich om hen heen verdrongen.

Als ze op de een of andere manier te weten kwamen dat buiten een bekende tijdens de beschieting was omgekomen, begonnen de vrouwen te jammeren en zichzelf te slaan. Ze sloegen met hun hoofden tegen de wanden van de schuilgang, rukten zo wild aan hun haren dat ze die uit hun hoofd trokken en zo lagen veel schuilgangen aan het einde van elke beschietingsperiode vol met dotten lange, vieze haren. Als buiten een familielid was getroffen, renden ze jammerend en schreeuwend de schuilgang uit, en met hun smekende gezichten naar de hemel gericht brachten ze het gewonde lichaam in veiligheid, sleepten het mee aan het hemd of een broekspijp, een hand of een voet of zelfs aan enkele plukken haar, ook als de persoon in kwestie duidelijk dood bleek te zijn. Anderzijds waren de mannen over het algemeen kalmer, sommige bijna onbewogen. Misschien rolde er een enkele traan over hun verstomde gezicht, liepen ze langzaam en zonder iets te zeggen naar de dode lichamen van hun verwanten, en knielden ze voor hen neer, ook als de grond beefde en de granaten rondom hen explodeerden. Ze gingen naast de lichamen van hun geliefden zitten en snikten geluidloos, heen en weer wiegend, zonder aandacht voor wat zich om hen heen afspeelde. Liefdevol streelden ze het gezicht en de borst van de overledene. Ze streken voorzichtig over de oogleden, masseerden de armen en kusten de handen. Ze bogen zich voorover en begroeven hun gezicht in de hals van de dode, waarbij ze diep inademden, alsof ze de specifieke geur van de dode in hun geheugen wilden opslaan. Terwijl de vrouwen Dinesh deden denken aan afgehakte gekkostaarten die, lange tijd nadat het lijf dat hen zo lang heeft gedragen verdwenen is, blijven zwiepen en moedig weigeren de hoop op te geven ook al is de bron van leven en zin verwoest, herinnerden de mannen Dinesh aan de kikkers waarover hij lang geleden op school had geleerd, en waarvan wetenschappers het ruggenmerg opensneden om te bestuderen hoe verschillend de grote en kleine hersenen functioneerden. In tegenstelling tot de kikkers in vijvers en plassen met hun immer uitzettende en inkrimpende natte vel en hun diepe, voldane, immer rijzende en dalende stemmen, de belichaming van organische bloei, waren deze verminkte kikkers volledig roerloos en stil, reageerden niet op prikkels, bleven passief ook als ze gepord of geprikt werden. Het was onmogelijk op te maken of ze honger of dorst hadden, rustig of bang waren, want ze bewogen slechts als ze omvergeduwd werden, waarna ze alleen maar overeind kwamen en weer uitdrukkingsloos voor zich uit staarden, een uitdrukkingsloosheid die hen tot aan hun dood vergezelde.

Als de beschieting voorbij was, werd het kamp vervuld van een intense stilte. Het duurde altijd even voordat het doordrong dat het voorbij was, want allemaal zaten ze met dichte ogen, handen voor hun oren en gezichten tegen de grond gedrukt. Niemand in het kamp kon met zekerheid zeggen op welk moment de oorverdovende stilte van het beschieten plaatsmaakte voor de gedempte stilte van de rust, en voorkomen was altijd beter dan genezen, want soms werd het beschieten tien of vijftien minuten onderbroken om vervolgens plotseling weer hervat te worden, als een truc om hen te laten denken dat alles voorbij was zodat ze naar buiten kwamen om voor de gewonden te zorgen. Pas veel later, als ze weer bij zinnen waren gekomen, als ze het verschroeide vlees roken en de gewonden hoorden schreeuwen, kon ieder voor zich er zeker van zijn dat de beschieting voorbij was. Zelfs dan bleven de meesten doodstil zitten, hun gezichten uitdrukkingsloos. Bij een klein aantal, elke keer een paar meer, was het gezicht vertrokken tot een verwrongen, onmenselijke uitdrukking. Ze friemelden aan de stof van hun sarongs of jurken, rolden brokjes aarde tussen hun handen, terwijl ze eigenaardig lachten en in zichzelf fluisterden. Eén keer zag Dinesh een man met een geamputeerde arm na een beschieting ronddwalen alsof hij zijn ontbrekende lichaamsdeel zocht. Hij raapte de verschillende onderarmen die hij vond op en probeerde ze, alsof hij nieuwe kleren aan het passen was en elke keer dat de maat of de kleur niet klopte, kneep hij zijn lippen ontevreden opeen. Degenen die daartoe in staat waren, vermanden zich en ontfermden zich over de gewonden en borgen de doden. Er was niet genoeg petroleum om alle lijken te verbranden en dus begroeven ze ze simpelweg: elk lichaam werd in stukken stof of zeil gewikkeld en vervolgens in gegraven kuilen aan de rand van het kamp gelegd, tenzij er een granaat op een schuilgang was gevallen en in dat geval werd de gang gewoon dichtgegooid met aarde. De afgelopen paar dagen was het delven van graven een te grote taak geworden en de meeste lichamen die niet door verwanten werden opgeëist werden eenvoudig met stukken zeil of bladeren bedekt, en soms zelfs daar waar ze waren aangetroffen onbedekt achtergelaten. Hoe dan ook waren vele lichamen niet compleet en in zekere zin leek het gepaster ze te laten zoals ze waren in plaats van alleen de grootste delen die ze konden vinden te begraven.

Dinesh werd altijd bevangen door een vreemd gevoel als hij na een bombardement in de stilte ronddoolde. Ook als hij een speciale opdracht moest uitvoeren, als hij een graf voor een dode groef of meehielp de gewonden naar het hospitaal of de kliniek te vervoeren, had hij nog steeds het gevoel dat hij niet echt wist wat hij deed of waar hij heen ging. Dan liep hij lange tijd verdwaasd door het verbrande en verwoeste kamp, gedesoriënteerd, als een van zijn boom afgerukt blad dat op goed geluk over braakliggend terrein werd geblazen, zonder band met enig levend wezen. Misschien leek het op het gevoel dat hij had toen hij als klein kind alleen thuis werd gelaten en hij eerst ongerust was omdat zijn vader en moeder er zo lang over deden om thuis te komen, vervolgens dacht dat ze vast dood waren en huilde omdat hij ervan overtuigd was dat hij voor de rest van zijn leven alleen was achtergelaten in een grote, onbekende wereld. Het leek op dat gevoel maar het was anders, want hoe moest hij het verlies ervaren van dingen die hij zich niet eens meer kon herinneren? Hij leefde al zo lang zonder zijn huis, familie, vrienden en bezittingen, dat een dergelijk isolement niet langer als pijnlijk of zelfs ongewoon ondervonden kon worden. Het was meer dan een gescheiden zijn van eens vertrouwde mensen en bezittingen dat hij ervoer, meer dan zomaar een gevoel van isolement. Op dergelijke momenten dacht hij vooral aan de desintegratie van zijn lichaam, de desintegratie van zijn haar, zijn tanden, zijn huid. Zijn nagels die niet meer zouden groeien, zijn huid die niet meer zou zweten. Ineens was hij zich bewust van het feit dat binnenkort zijn lichaam uiteen zou vallen, besefte hij werkelijk dat het proces er voor altijd gescheiden van te worden al was ingezet. Hij had zijn leven lang zijn handen en voeten gebruikt, zijn vingers en tenen, en de wetenschap dat hij binnenkort niet langer op ze kon vertrouwen gaf hem plotseling een gevoel van verlatenheid en eenzaamheid, zoals wanneer je op een treinstation of op een strand op het punt staat ver weg te gaan, je afscheid moet nemen van familie en vrienden van wie je dacht dat ze altijd in je leven zouden zijn. Hetzelfde gevoel bekroop hem als hij dacht aan zijn lichaamsbeharing, zijn hoofdhaar, het krullerige haar op zijn kuiten, dijen en onderbuik, het dunne glinsterende zwarte haar op zijn armen, en ook als hij dacht aan de haartjes van zijn wimpers en wenkbrauwen. Zijn hele leven hadden deze zaken hem niet geïnteresseerd, maar die houding kon hij niet langer volhouden, want ze hadden alles met hem meegemaakt en stonden nu op het punt hem voorgoed te verlaten. Zijn ogen en oren, zijn knokkels en knieën en ook zijn inwendige organen, die hij nooit had gezien en die hij nooit had bedankt – die gedachte was nooit bij hem opgekomen – maar die hem zijn hele leven onzelfzuchtig ten dienste hadden gestaan. Hij had geen idee hoe het zou zijn van al deze zaken gescheiden te worden, kon zich er niets bij voorstellen, maar hoe langer hij erbij stilstond, hoe beter hij begreep dat hij niet zozeer angst voelde voor de scheiding als wel treurigheid bij het idee uit elkaar te gaan.

Dinesh opende zijn ogen voor de heldere wereld voor hem. Hij strekte zijn armen uit en schuurde zich omhoog tegen de boom waartegen hij leunde. Plotseling voelde hij aandrang om zijn ingewanden te legen. Niet zozeer een fysieke aandrang, want hij had de laatste dagen nauwelijks iets gegeten, nauwelijks genoeg dat er sprake kon zijn van enige oververzadiging, maar meer een psychologische aandrang, een aandrang die hij meende desalniettemin lichamelijk te kunnen bevredigen, aangezien het tenslotte slechts een kwestie van hard genoeg persen was. De dichtstbijzijnde gelegenheid waar hij naartoe kon gaan was de buiten-wc niet ver van de kliniek, maar die zat behalve met stront vol met bloed en braaksel, op de muren en overal op de vloer, en daar zou hij niet op zijn gemak kunnen zitten. Hij wilde een rustige, comfortabele plek, een plek waar hij alle tijd kon nemen. Langs de kust was een stil stuk waar hij naartoe zou kunnen gaan, hoewel het enigszins gevaarlijk was je te ver buiten het kamp te wagen, vooral in de richting van de kust, waar de beweging patrouilleerde en hij kans liep opgepakt en ingelijfd te worden. Bovendien was het terrein te groot en onbeschut, een te open plek voor de privacy die nodig was om je in alle rust en op je gemak te kunnen ontlasten. Hij wilde er de tijd voor nemen, ergens alleen zijn waar hij ongestoord voor een laatste keer naar het geluid van zijn ingewanden kon luisteren, of die misschien opheldering betreffende zijn oorsprong en bestemming gaven. Het strand was rustig, maar te open en hij zou zich bespied voelen door een oog in de verte en niet volledig op zijn gemak zijn. Het enige alternatief echter was de jungle die ten noorden en westen aan het kamp grensde, en vooral overdag was het daar een komen en gaan van andere kampbewoners die zich eveneens wilden ontlasten. Natuurlijk was hij er gewend aan geraakt in het zicht van andere mensen zijn behoefte te doen, of althans met de mogelijkheid dat anderen langsliepen, en als het niet anders kon zou hij dat ook zo doen, maar dat betekende dat hij niet zijn gemak kon nemen. Verder was de jungle vol kreupelhout en hij zou gehurkt op de ongelijke grond moeten poepen. De grond daar zou nat, in elk geval vochtig zijn, en de schors en bladeren ook, terwijl hij een droge plek wilde. Misschien moest hij dan toch naar de kust, waar ook water zou zijn om zich te wassen. Hij zou een rustig plekje zoeken waar hij zich alleen en onbespied kon voelen, waar hij de golven over het zand zou horen ruisen en het geroep door de zilte lucht van de vogels in de verte.

Met moeite kwam Dinesh overeind van zijn plek tegen de boom, maar zodra hij rechtop stond zette zijn lichaam zich in beweging alsof het uit zichzelf wist waarheen het moest gaan. Geluidloos stapte hij door het troosteloze kamp in de richting van de noordelijke grens, langs de laatste tenten en zwijgende groepjes van twee of drie personen, naar het stoffige, dorre struikgewas. Zonder enige moeite vonden zijn voeten hun weg tussen de wirwar van wortels en kreupelhout, ontweken de incidentele lichaamsdelen en hoopjes poep, zodat hij alle gelegenheid had te zien hoe het kreupelhout plaatsmaakte voor dikkere vegetatie en bomen, voor fijn geaderde bladeren en grijze en bruine stammen. Het was, wist hij, tot op zekere hoogte gekkenwerk om naar de kust te gaan, waar hij, als hij niet oppaste, van kilometers afstand gezien kon worden. Per slot van rekening was hij oud genoeg om te vechten, en lang genoeg, alhoewel aan de magere kant. Als hij werd opgemerkt door kanonneerboten van het leger, zou er ongetwijfeld op hem worden geschoten, en als de patrouille van de beweging hem in de gaten kreeg, zou die hem inlijven en waarschijnlijk straffen omdat hij zich zo lang aan rekrutering had onttrokken. Het was feitelijk een wonder dat hij zich daar zo lang aan had weten te onttrekken, want er waren nauwelijks nog jongens van zijn leeftijd in het kamp. Uiteraard had hij, wanneer er van kamp werd veranderd, uit voorzorg geen drukke wegen genomen en de terreinen gemeden waar andere burgers hun tenten opsloegen. Nu de uittocht ten einde was gekomen, hield hij zich het grootste gedeelte van de dag schuil in de jungle en als hij naar het kamp ging, was dat slechts in de uren onmiddellijk na een beschieting, als de wanorde zo groot was dat niemand op hem lette. Hij bleef nooit lang rondhangen, maar het was waar dat hij meer dan eens risico's had genomen en het kon alleen maar puur toeval zijn dat hij nog niet was opgemerkt. Vroeger zou het hem waarschijnlijk niet veel hebben kunnen schelen als hij per ongeluk was ingelijfd, aangezien de twee manieren om te sterven weinig ruimte voor keuze overlieten, maar als hij nu over de kwestie nadacht, was het duidelijk dat hij van mening was veranderd. Afgezien van de huwelijkskwestie leek het ineens duidelijk dat hij niet-ingelijfd beter af was, want vergeleken bij de militieleden, die elke wakende minuut doorbrachten met het verdedigen van het hun resterende grondgebied, hadden zelfs burgers enige gemoedsrust. Als burger had hij tenminste tijd om te denken, terwijl hij als lid van de militie aan de frontlinies zou moeten vechten, zijn oren verdoofd door donderend geschut, totdat hij werd gedood. Welbeschouwd was het daarom het beste

ALLE DAGEN FEEST

HET HUIS VAN DE LITERATUUR

70 JAAR DE BEZIGE BIJ

Hope you like it!

Chris

Met vriendelijke groet / With compliments

Uitgeverij De Bezige Bij b.v.

Van Miereveldstraat 1-3 ◆ 1071 DW Amsterdam

Postbus 75184 ◆ 1070 AD Amsterdam

Telefoon (020) 305 98 10 ◆ Fax (020) 305 98 24

e-mail info@debezigebij.nl

niet opgemerkt te worden. En terwijl hij zich een weg door de jungle baande, zei hij tegen zichzelf dat hij bij het eerste het beste teken van onheil onmiddellijk zou omkeren en terugrennen, zijn voornemen om zich te ontlasten ten spijt. Dinesh merkte op dat de vegetatie om hem heen droger werd en minder dik, de bodem lichter en enigszins zanderiger. Hij keek omhoog en besefte dat hij voor zich uit de horizon kon zien en even later, achter lage struiken en een paar eenzame kokospalmen, de zee. Hij trok zijn slippers uit, hield ze in zijn hand en voelde de fijne zandkorrels prikken onder zijn voetholten en tussen zijn tenen. Vanachter de beschutting van een boom keek hij behoedzaam van links naar rechts en van rechts naar links en liep toen, voor het eerst sinds hij wist niet hoe lang, het strand op.

Het was eind januari of begin februari, maar het water was kalm en strekte zich vanaf het strand eindeloos uit als een vlekkeloze blauwe stalen plaat, zonder golven of vissersboten. Dinesh' voeten zonken weg in het zachte witte zand en zijn dunne, vermoeide kuiten spanden zich bij elke stap om zijn lichaam, dat nu zwaar en niet langer licht of schimmig was, omhoog te duwen. Hij liep omlaag naar waar het strand langzaam afliep naar de zee, waar land en water elkaar ontmoetten en het vochtige witte zand glad gepolijst was en makkelijk begaanbaar. Aan zijn voeten kabbelden halve cirkels water. Door de kluit dikke wolken was een laatste beetje zon zichtbaar, een bundel wit licht die door de lucht viel en ver aan de horizon een stuk zilveren zee deed oplichten. Dinesh wist dat de zon spoedig zou ondergaan en de lucht donker zou worden. Hij moest zijn tijd zo goed mogelijk gebruiken. Hij liep in noordelijke richting over het zachte natte zand waar de kust overging in duinen, de uitlopers van een soort meer landinwaarts gelegen woestijn. Vanuit de zee liep het strand langzaam over een stukje omhoog en vervolgens hoopte het zand zich op in rustige, rijzende en dalende verhevenheden en vormde zo grote bulten van stralend wit zand die zich niet van de duinen lieten onderscheiden. Dinesh liep naar een stuk langs de kust dat door een kring van deze bulten was ingesloten, zodat een soort afgesloten privéstrand was ontstaan. Met enige moeite beklom hij een bult, keek om zich heen om zich ervan te vergewissen dat het terrein verlaten was en sjokte vervolgens vermoeid weer omlaag, tot vlak bij het water. Het zand was niet doornat, maar nog vochtig genoeg om te klonteren, en geknield begon hij voorzichtig in het zand een kleine kuil uit te graven in de vorm van een halve bol met een doorsnee van krap dertig centimeter. Niet ver hiervandaan lagen in het kamp en erbuiten honderden rottende lijken verspreid, de lichaamsdelen her en der over de grond, mannen, vrouwen en kinderen met etterende wonden, muggen die rond de levenden en vliegen die rond de doden zoemden, maar ondanks deze onbegrensde verspilling van vlees en bloed was het, zo voelde Dinesh het, nog steeds belangrijk zich op correcte wijze van zijn uitwerpselen te ontdoen. Het was van levensbelang een goed gat te graven om zijn ontlasting in te deponeren, want het geschenk dat hij de aarde ging geven zou zinloos zijn als het niet op de juiste manier werd aangeboden.

Dinesh legde zijn slippers op het zand. Hij trok zijn hemd uit en legde dat netjes boven op de slippers, knoopte zijn sarong los en schikte die voorzichtig op het hemd. Daar stond hij in een volkomen stilte, ongekleed op het nog steeds warme zand en hij keek naar de golfloze blauwe watervlakte die zich voor hem uitstrekte. Er was niemand in de buurt maar desalniettemin voelde hij zich zenuwachtig in zijn ongeklede staat, en op het punt zo'n kwetsbare positie in te nemen. Op dit tijdstip van de dag waren er weinig schermutselingen, maar zekerheid had je natuurlijk nooit. En al was er weinig kans op een gevecht, dan bestond nog altijd de mogelijkheid dat een kanonneerboot van het leger voorbijvoer en in dat geval was er weinig twijfel dat ze op hem zouden schieten. Dinesh staarde een tijdje uit over het water en keek hoe met de wind die in zachte vlagen overwaaide en wegstierf kleine rimpelingen even het oppervlak beroerden en verdwenen. Langzaam boog Dinesh zijn benen en hurkte vervolgens boven het gat. Met zijn volle gewicht op de bal van zijn voeten steunend ging hij in een houding zitten die comfortabel was en maakte zich gereed. Toen aarzelde hij even. Hij bevond zich al in een weerloze positie, maar het aanspannen van zijn ingewanden en de poging tot persen maakten hem nog weerlozer. Hij wist echter dat als hij eenmaal was begonnen, dit gevoel van ongemak hoogstwaarschijnlijk zou verdwijnen en terwijl hij opkeek naar de lichtbundel die over de zee viel, perste hij eenmaal, en toen nog eenmaal. Het was een vreemd gevoel om uitkijkend naar de eindeloze lucht en over de eindeloze zee zo hard te persen, boven het kleine kuiltje gehurkt te zitten ten overstaan van de overweldigende aarde. Hij wendde zijn blik af van de horizon, richtte die in plaats daarvan op de netjes neergelegde kleren naast hem en perste nogmaals. Zijn lage, diepe spieren in zijn lichaam aanspannend perste hij net zo lang tot hij voelde dat zijn ingewanden op gang begonnen te komen, te bewegen en te werken, terwijl zijn magere, zwakke lijf zijn uiterste best deed een laatste geschenk aan de wereld te geven. Het kostte zijn lichaam moeite enig afval uit te scheiden terwijl hij twee dagen nauwelijks iets had gegeten en de dagen ervoor slechts waterige rijst, maar hij trok zich steeds minder van zijn traagheid aan en probeerde zich te ontspannen en de tijd te nemen. Hij trok zijn ingewanden zo hard mogelijk samen en perste vervolgens uit alle macht en herhaalde dit proces net zo lang tot hij in zijn achterwerk iets nattigs voelde. Aangemoedigd ontspande hij zich, drukte, ontspande en drukte en deed zijn uiterste best zo veel mogelijk uit zijn lichaam te persen. Hij had gehoopt het kuiltje ten minste voor de helft te vullen, maar besefte nu dat daar geen kans toe was: de slappe bruine substantie die hij uitperste zou niet eens de bodem bedekken. Hij perste voor een laatste maal, ging naast de kuil zitten en bracht zijn gezicht naar omlaag om te bestuderen wat hij had geproduceerd. Dat was zacht en dun, een gelig schuim op een waterig bruin vocht, het soort schuim dat de zee soms aan de kust afzet. Het was ongetwijfeld een schamele offerande, maar het was van hem afkomstig en de geur was vertrouwd. Het was niet compact, stevig en welgevormd, maar hij had het zelf voortgebracht met zijn dunne, zwakke lijf en de aarde, wist hij, zou hem dankbaar zijn.

Langzaam begon hij de kuil weer dicht te gooien. Hij schepte handenvol zand en liet dat tussen zijn vingers door weglopen, zodat hij de poep gelijkmatig bedekte. Toen het schuim geheel toegedekt was, vulde hij de kuil met enkele handenvol en streek vervolgens de bovenkant glad zodat de plek op het strand bij inspectie niet opgemerkt zou worden. Hij ging er languit met zijn ellebogen en knieën tegen het zand gedrukt naast liggen zodat het zand aan zijn naakte ledematen kriebelde. Met gesloten ogen luisterde hij naar de golven die over de kust spoelden, naar het geluid van het water dat kwam aanrollen en uitrolde over het strand. Hij voelde zijn borst uitzetten en inkrimpen, voelde de lucht in hem binnenkomen en hem verlaten en met zijn neus vlak bij de grond nam Dinesh de ietwat zwavelige geur die nog steeds uit de dichtgegooide kuil opsteeg in zich op, alles wat restte van zijn laatste feces. Hij streelde met wijs- en middelvinger het zand voor hem, trok dunne lijnen over de genereuze aarde die hem zoveel jaren een plek had geboden om te leven en te slapen. Hij stak zijn hand diep in het zand en kneep hard, zodat hij de scherpe korrels duidelijk tegen zijn huid voelde, hield een handvol vlak voor zijn gezicht en ademde diep in om die vreemde droge geur van vochtig zand en stof die hij waarschijnlijk nooit meer zou ruiken, in zijn herinnering op te slaan. Hij bracht zijn neus nogmaals vlak bij het warme zand van de kuil en snoof, maar hij kon de weinige feces al niet meer ruiken.

Dinesh kwam overeind, liep naar het water en waste zich, plensde het koele water over zijn benen en achterwerk. Het water was schoon en helder en plotseling voelde hij een dringende behoefte zich te wassen, zijn lichaam te reinigen van het bloed en het vuil dat hij nu al wekenlang op zijn huid meedroeg. Het water was uitnodigend, maar hij wist dat hij beter kon wachten; hij had immers al genoeg tijd op het strand doorgebracht en het had geen zin risico's te nemen. Als hij echt wilde, kon hij later bij een van de pompen in het kamp baden, het water zou daar minder zout zijn en misschien zou hij zelfs een stukje zeep op de kop kunnen tikken. Hij strekte zijn naakte lichaam uit en keek over het kalme en stille watervlak dat niet langer door de lichtbundel werd beschenen. De hier en daar zwak door de zon verlichte wolken hadden zich samengepakt en de gehele horizon was donker geworden. Onverwachts lichtte de hemel zilver op. Vanuit de kust klonk een luid gebrul en geschrokken liet Dinesh zich in het water zakken. Hij bleef ineengedoken staan, zijn handen boven zijn hoofd, met gesloten ogen en bonkend hart. Er was een drukkende, zware stilte, die even later werd gevolgd door een licht gekletter als van kleine glazen kraaltjes die over het aardoppervlak werden uitgestrooid. Toen Dinesh voorzichtig zijn ogen opende, voelde hij gewichtloze vochtspatjes op zijn huid en zijn hoofd omhoogbrengend zag hij met de horizon op de achtergrond vlagen regen boven de grote, stille zee, aanvankelijk als een soort dunne nevel, die later dikker werd. De druppels vielen als spelden uit de lucht die tijdens hun val aan snelheid wonnen, samensmolten terwijl ze door de atmosfeer neerdaalden, massa en zwaarte kregen terwijl ze zich op hun tocht aaneenvoegden, dikker en voller werden totdat ze ten slotte de aarde bereikten, waar ze op haar solide en vloeibare oppervlakken uiteenspatten. De golfloze zee werd door duizenden kogeltjes doorboord en toen hield de regen, net zo stil, op.

2

DINESH VOELDE ZICH vanbinnen aangenaam licht toen hij zich een weg terug door de vegetatie baande, een gevoel van onbelastheid dat hij probeerde vast te houden door langzaam en bedaard te lopen en zo min mogelijk abrupte bewegingen te maken. Voor het eerst sinds het voorstel gingen zijn gedachten uit naar de dochter van meneer Somasundaram, alsof hij nu pas besefte dat getrouwd zijn betekende de rest van je leven door te brengen met één bepaald iemand en dat een huwelijk goed of slecht kon zijn afhankelijk van de aard van die persoon. Ze hadden nooit echt met elkaar gesproken, maar hij herinnerde zich dat hij een paar keer eerder Ganga, lang, mager, zwijgzaam en haar blik altijd naar beneden gericht, in de buurt van de kliniek had gezien. De eerste keer dat hij haar had opgemerkt, waarschijnlijk de enige reden waarom hij haar daarna had herkend, was toen hij na een korte maar hevige beschieting door het kamp liep. Hij liep langs een groepje mensen dat zich had verzameld om naar iets te kijken, en bleef staan om te zien wat er aan de hand was. Op zijn tenen staand had hij in het midden van de kring die ze vormden een meisje gezien dat alleen op de grond zat naast twee lichamen. Het meisje haalde met moeite, bijna piepend, adem.

Haar bovenlichaam wiegde heen en weer, waarbij haar twee lange vlechten bevallig op haar schouders op en neer dansten. Vlak achter haar stond een man, meneer Somasundaram, die met wijd open, niet knipperende ogen naar de twee lichamen staarde als naar iets zonder enig bijzonder belang. De anderen keken zowel naar hem als naar het meisje, eigenlijk meer naar het meisje, maar het duurde even voordat Dinesh zich realiseerde dat de lichamen op de grond zijn vrouw en zijn zoon waren en het meisje dat zich over hen heen boog zijn dochter. Terwijl Dinesh toekeek hoe ze de slappe hand van haar moeder omhoogbracht naar haar gezicht en tegen haar wang drukte, waarbij ze keer op keer met zachte, trillende stem tegen zichzelf zei dat die hand haar had gevoed, geslagen en gewassen, had hij zijn best gedaan te begrijpen wat het moest zijn tegelijkertijd je moeder en je broer te verliezen. Eerder in de oorlog was hem iets dergelijks overkomen, maar het was moeilijk precies te zeggen hoe dat voelde, omdat hij al zo lang geen gevoel meer had. Ergens moest het natuurlijk vreselijk zijn geweest. Het meisje voelde de pijn waarschijnlijk nog steeds, want de granaten die haar twee familieleden hadden gedood, waren slechts tweeënhalf uur ervoor ontploft. Maar bovendien was er, had Dinesh het gevoel, behalve de pijn in haar verwrongen trekken, ook iets merkwaardigs statigs in het gezicht van het meisje, een uitdrukking van plechtigheid, bijna strengheid. Uit haar vochtige ogen en de manier waarop ze tussen de weeklachten door haar lippen opeenperste leek het meisje de situatie al tot zich te hebben laten doordringen, die al bedroefd maar gewetensvol te hebben aanvaard. Ze leek in te zien dat haar moeder en haar broer dood waren, maar dat de wereld niet ophield door te gaan. De middag zou avond worden, er zouden nog meer granaten vallen en hoe eerder ze zich bij het gebeurde zou neerleggen en doorgaan met het leven, hoe beter.

Dat ze nu met haar lichaam de lichamen van haar moeder en haar broer omhelsde, dat ze nu zichzelf toestond te beven, te huilen of in shock te zijn, was niet omdat ze zich niet van dat feit bewust was, maar omdat ze wist dat haar lichaam op een bepaalde manier op het gebeurde moest reageren, omdat ze begreep dat het in weerwil van haar zou doen wat het moest doen en dat het onmogelijk was dat tegen te houden.

Enkele dagen later zag Dinesh Ganga voor het eerst aan het werk in de kliniek, haar gezicht glad, uitdrukkingsloos, als een gepolijste steen en ondanks haar magerte op de een of andere manier bevallig. Het was niet zo dat ze de doden was vergeten of hun dood had verwerkt, want er waren nog altijd kleine naweeën en dan stopte ze waar ze mee bezig was en leek ze even te beven, te rillen bijna, maar deze aanvallen gingen snel voorbij en meestentijds leek ze merkwaardig kalm, vastbesloten. Ze werkte harder dan de meeste vrijwilligers, ondanks en bijna gemotiveerd door haar uitputting en in tegenstelling tot de meeste mannelijke of vrouwelijke volontairs leek zij nooit een moment te verslappen ongeacht wat ze onder ogen of te doen kreeg. Als er geen dringende werkzaamheden waren, liep ze door de kliniek om te zien hoe ze de gewonden kon bijstaan, reinigde ze hun wonden en ververste ze hun verband, probeerde ze hen in contact te brengen met de familieleden van wie ze gescheiden waren en dat alles in combinatie met de zorg voor haar vader liet haar, kreeg Dinesh de indruk, nauwelijks een moment van respijt. Alleen 's avonds laat, als alle gewonden die daartoe in staat waren hun pijn voor eventjes van zich af hadden gezet en wat sliepen tot de volgende beschieting, had hij haar een enkel keertje stilletjes alleen in het kamp zien zitten en zelfs dan leek ze rusteloos. Dan maakte ze haar haar los en liet het even over de welving van haar rug vallen, vervolgens trok ze het weer strak om haar schedel en kamde het zo dat geen enkele pluk los over haar voorhoofd of oren viel. Ze trok het zo strak mogelijk aan en bond het zo bijeen dat het, als ze klaar was, bijna perfect tegen haar hoofd geplakt zat. Dan zat ze er enigszins verloren bij, haar ogen groot in de naakte schoonheid van haar gezicht, onderwijl voortdurend met haar handen over haar haar strijkend en voelend hoe strak het aan de huid van haar schedel en voorhoofd trok totdat ze plotseling, alsof ze ontdekte dat het minder strak werd, het haar opnieuw losmaakte en het gehele proces opnieuw begon. Ditmaal zo mogelijk nog strakker dan ervoor.

Aanvankelijk leek meneer Somasundaram, in tegenstelling tot zijn dochter, om de een of andere reden onaangedaan door de doden. Enkele dagen lang ging hij door met het werk dat hij in de afgelopen weken in het kamp had verricht, zette tenten voor nieuw aangekomen mensen op, zorgde voor rijst voor hen die het zelf niet konden en hield toezicht op het aanleggen van schuilgangen en bunkers. Dinesh had horen vertellen dat hij directeur van een grote meisjesschool was geweest en dat wellicht in combinatie met zijn lengte had anderen ertoe gebracht hem bij praktische aangelegenheden met een zeker respect te behandelen. Dat gevoel van respect werd waarschijnlijk vergroot door het feit dat hij tot de weinige mannen in het kamp behoorde die erin waren geslaagd hun gezin in leven en bijeen te houden, hetgeen bij nader inzien natuurlijk meer te danken was aan geluk dan aan enige wijsheid of goddelijke genade. Misschien had meneer Somasundaram, omdat ook hij geloofde de gave te hebben anderen in leven te houden, aanvankelijk niet gereageerd op de dood van zijn vrouw en zijn zoon. Misschien had hij niet naar behoren met die mogelijkheid rekening gehouden. Hij kon niet welbewust verwacht hebben dat zijn gezin door de beschietingen gespaard zou blijven – op het moment van de dood van zijn gezinsleden had hij het lot van voldoende families gezien om te weten dat zijn gezin uiteindelijk waarschijnlijk hetzelfde zou overkomen – maar misschien was het zoals je het bij een sportwedstrijd tot het allerlaatste moment nooit echt kon opgeven of je kon neerleggen bij verlies. Je wist al dat je ging verliezen, je probeerde allang niet meer te winnen, maar de feitelijke nederlaag drong pas echt en bijna ongelooflijk tot je door als het laatste fluitsignaal had geklonken of de laatste batsman out was. Die hete huiver die gepaard ging met het inzien van je verlies trok pas door je heen nadat de wedstrijd was verloren, nadat alles voorbij was, soms pas enkele uren later en misschien was meneer Somasundaram iets dergelijks overkomen. Natuurlijk kon je dat moeilijk met zekerheid zeggen, maar hoe dan ook ging meneer Somasundaram vele dagen na de dood van zijn vrouw en zijn zoon door alsof er niets was gebeurd. Pas later begon hij tekenen van verdriet te tonen, alsof het nieuws dat door zijn zenuwuiteinden was ontvangen tijd nodig had gehad om door zijn huid heen te dringen. Hij verrichtte minder werkzaamheden in het kamp. Hij nam meer rust en sprak minder. Elke dag voerde hij minder uit totdat hij twee weken na hun dood gewoon niets meer deed, alleen maar voor zijn tent zat, zich nauwelijks bewoog, en zijn hoofd schudde of zijn schouders ophaalde als iemand naar hem toe kwam in de hoop hulp of advies te krijgen.

Elke middag en avond, waarbij de tijden afhingen van het verloop van de dagelijkse beschietingen, schepte Ganga de rijst en *dahl* die ze voor haar vader had gekookt op een van de van thuis meegebrachte borden en zette dat op de grond voor hem neer. Dan knikte meneer Somasundaram met gesloten ogen, zonder zelfs zijn hoofd op te lichten en gebaarde haar dat ze hem met rust moest laten. Soms at hij uit zichzelf een beetje, maar vaker liet hij het bord onaangeroerd. Soms zei hij zacht en langzaam, luid genoeg om gehoord te worden maar zonder van enige emotie blijk te geven, dat de rijst te droog of te nat was, alsof dat de enige reden was om niet te eten. Dan schoof Ganga het bord wat dichter naar hem toe, lichtelijk fronsend alsof hij zijn plicht verzaakte, en drong erop aan dat hij wat at, want wat zouden de mensen zeggen als ze ontdekten dat hij zijn eten weigerde? Als hij bleef weigeren, probeerde ze een andere aanpak: ze ging naast hem zitten met het bord tussen hen in en maakte duidelijk dat ze niet zou vertrekken eer het leeg was, wetend dat haar vader prefereerde alleen te zijn en hopend dat hij zou eten om maar van haar af te wezen. En ook al begon het tot Ganga door te dringen dat haar vader echt niet aan eten moest denken, ze bleef toch zitten en probeerde hem tot eten te dwingen, alsof ze niet langer gehoorzaamde aan de wensen van haar vader maar aan een hogere macht, en ze gaf haar pogingen pas op als ze ervan overtuigd was dat haar vader niet zou toegeven. Dan keek ze ongemakkelijk om zich heen, op haar gezicht boosheid vermengd met gêne, en misschien ook enige schaamte, stond op en bracht het voedsel naar een van de velen in het kamp die de hongerdood nabij waren. Als verklaring gaf ze dat ze te veel rijst had gekookt en niet dat haar vader geen honger had.

Dinesh had het kampterrein net ten oosten van de kliniek bereikt, niet ver vanwaar de tent van meneer Somasundaram stond en hij had enkele minuten lang zijn blik laten gaan over de voor hem verspreide tenten en mensen. Hij besefte tot zijn eigen verwondering dat hij Ganga en haar vader zocht. Hij wist niet wat hij precies ging doen totdat hij echt voor hen stond, tot hij zichzelf ja of nee op het voorstel hoorde zeggen, maar het was een feit dat hij hen zocht en wellicht met meer animo dan wanneer hij van plan was geweest om nee te zeggen. Hoe het was gebeurd en waarom, als er al een waarom was, kon hij niet verklaren, maar het leek of ergens stiekem diep in hem, kennelijk onafhankelijk van hem, de trouwkwestie al was beslecht. Misschien was dat de manier om tot een beslissing te komen – geduldig afwachten tot de verschillende mogelijkheden zich uit zichzelf tegen elkaar hadden afgewogen – of misschien had een deel van hem buiten zijn weten om actief denkwerk verricht, want als hij erover nadacht, was het een verstandig besluit. Als het voorstel eerder tijdens de strijd was gedaan, toen zijn moeder nog leefde en ze in de veronderstelling verkeerden dat ze spoedig naar huis terug zouden keren, zou hij er wellicht anders over gedacht hebben, maar nu was zijn moeder dood, net als de meesten van zijn verwanten en de meeste mensen uit zijn dorp. Wie moest er nu een huwelijk voor hem arrangeren, en waarom zou hij hoe dan ook wachten met trouwen, alsof zich ooit nog een mogelijkheid voor een huwelijk zou voordoen? Het was een feit dat hij binnenkort zou sterven en ja zeggen zou betekenen dat hij zijn laatste paar dagen samen met iemand kon doorbrengen, en niet met zomaar iemand, maar met een meisje, een vrouw, een echtgenote. Het was dom erover in te zitten dat hij de kans om tijd voor zichzelf te hebben opgaf, want ook al bracht hij de rest van zijn korte leven samen met Ganga door, dan was het zijn lichaam dat zich naast het hare bevond en zou hij in haar gezelschap nog altijd tijd voor zichzelf kunnen hebben. Hij wist niet wat ze samen moesten doen. Hij had geen idee hoe echtgenoten en echtgenotes hun tijd doorbrachten, maar op z'n minst zou hij in haar aanwezigheid kunnen zitten, in haar aanwezigheid eten, en in haar aanwezigheid denken, in haar aanwezigheid doen wat mensen in het algemeen in elkaars gezelschap doen. Hij zou voor haar kunnen zorgen, zijn arm om haar tengere lichaam slaan en haar troosten, haar tegen zich aan drukken en stevig vasthouden, haar een veilig gevoel geven en zij zou hetzelfde voor hem kunnen doen.

41

En wie weet zouden ze zelfs met elkaar de liefde kunnen bedrijven. Hij wist niet goed wat dat precies inhield en of hij het zou kunnen, maar dat was, wist hij, wat getrouwde mensen deden in hun huwelijksnacht of kort erna en misschien konden zij dat ook, voordat ze stierven.

Uiteindelijk zag Dinesh Ganga op de grond zitten, gedeeltelijk verscholen achter een tent. Ze had een kind in haar armen dat ze voorzichtig heen en weer wiegde, waarbij ze recht door het gezichtje staarde als naar iets erachter. Dinesh sloeg haar een tijdje gade, zonder te bewegen, volledig roerloos op het harde bonken van zijn hart na, en liep toen in haar richting tot hij vlak voor haar stond en bijna op haar neerkeek. Ze keek niet onmiddellijk op; haar ogen bewogen van het kindergezicht naar de schaduw van een menselijke gedaante die ineens voor haar op de grond viel, bekeek die nieuwsgierig en, alsof ze zich plotseling realiseerde dat de bron ervan een mens was, hield ze op het kind te wiegen, en haar hoofd oprichtend keek ze in zijn gezicht. Ze droeg nu in plaats van een jurk een sari, helder pauwblauw met een gouden rand, en aan beide armen enkele plastic armbanden. Haar lange zwarte, net gewassen haren waren in een stijve knot achterovergetrokken waardoor haar theekleurige huid strak over haar gezicht was gespannen en de grote zwarte ogen die naar hem opkeken nog beter uitkwamen. Dinesh keek enige tijd naar haar terug voordat het tot hem doordrong dat hij, teneinde te communiceren, iets moest zeggen.

Zuster, zei hij, waar is je vader?

Ganga staarde hem aan zonder dat haar uitdrukking veranderde. Ze haalde haar schouders op en begon weer de baby te wiegen die ze nu dichter tegen haar borst hield. Hij had zijn beide ogen open, maar in tegenstelling tot de geluiden of bewegingen die gewone baby's maken als ze wakker zijn, bleef deze volmaakt stil, alsof de confrontatie met de normale strubbelingen die een kind in zijn leven ondervindt hem onberoerd liet.

Je vader wilde me spreken.

Ganga keek hem weer aan en ditmaal lichtte in haar ogen heel even een flits van herkenning op.

Jij bent Dineshkanthan.

Dinesh knikte, er niet zeker van of dit een vraag of een mededeling was. Hij wachtte tot ze nog iets zou zeggen, maar ze bleef hem alleen maar aankijken.

Weet je waar je vader is?

Als jij Dineshkanthan bent, dan heeft mijn vader jou de hele middag lopen zoeken. Hij kon je nergens vinden. Wist je niet dat hij je zocht?

Dinesh schudde zijn hoofd. Dat wist ik niet. Ik heb hem vanochtend gesproken en de hele middag heb ik in de kliniek gewerkt. Ik heb net even een stukje gelopen. Hij moet me misgelopen zijn.

Een stukje gelopen?

Ja. Naar zee.

Naar zee? Ze knipperde een paar maal met haar ogen. Waarom?

Zomaar. Dinesh probeerde te glimlachen. Om naar de zee te kijken.

Even leek Ganga niet te weten wat ze moest zeggen. Ze fronste haar wenkbrauwen, ontfronste ze en fronste ze weer.

Je lijkt wel gek.

Dinesh keek om zich heen, maar niemand lette op hen.

Ik was voorzichtig, zuster. Maak je geen zorgen. Ik ben niet helemaal het strand op gegaan, maar ik keek vanaf de rand van de jungle naar de zee.

Ganga bestudeerde zijn gezicht aandachtig alsof ze er iets

43

ongewoons in probeerde te ontdekken. Ze fronste opnieuw haar wenkbrauwen en haar stem kreeg een gebiedende toon.

Jij bent toch Dineshkanthan?

Dinesh probeerde overtuigend te knikken. En jij bent toch Gangeshwari?

Ze negeerde de vraag. Uit welk dorp kom je?

Adampan. In Mannar.

Ben je alleen in het kamp?

Dinesh knikte.

En je familie?

Hij schudde zijn hoofd om aan te geven dat hij alleen was.

Waar slaap je?

Ten noordoosten van het kamp. In de jungle.

Slaap je niet in het kamp?

Nee, maar wel in de buurt. Nog geen twintig minuten hiervandaan.

Ganga keek weer omlaag naar het kind alsof er verder niets meer te zeggen viel. Ze hield het omhoog bij haar gezicht en drukte haar neus tegen de wang. De ogen bleven open, maar er kwam geen reactie. Het zag eruit als een onbezield object in de vorm van een mens waarin levende ogen waren getransplanteerd.

Van wie is het kind?

Ze haalde haar schouders op.

Is het een jongen of een meisje?

Meisje. Ze gebaarde naar een vrouw met grijze haren die enkele meters verderop op de grond lag te slapen. Die vrouw zorgt voor haar, maar ze is niet de moeder.

Dinesh keek naar het kind. Heeft het iets? Het ziet er niet gezond uit.

Ganga kwam langzaam overeind en deed enkele stappen van

Dinesh vandaan terwijl ze de baby van hem wegdraaide. Ze keek om zich heen en draaide zich op een afstand naar hem toe.

Als mijn vader je niet heeft kunnen vinden, is hij vast en zeker teruggegaan naar de Iyer in de kliniek. Wacht even, dan loop ik met je mee.

Ze liep naar de slapende vrouw en porde die in haar zij tot ze wakker werd en rechtop ging zitten. Ze legde het kind in de armen van de vrouw en begon vervolgens, zonder zich om te draaien of te wachten, in de richting van de kliniek te lopen. Dinesh keek hoe ze behendig om de mensen, tenten en spullen heen liep en toen het tot hem doordrong dat hij haar moest volgen, haalde hij haar slechts met moeite in. Hij had gezien dat meneer Somasundaram 's ochtends, kort nadat hij zijn voorstel had gedaan, in de kliniek bij de Iyer waakte, maar vreemd genoeg besefte Dinesh nu pas dat hij dat deed in de hoop dat de priester in staat zou zijn om het huwelijksceremonieel te voltrekken. De priester lag al twee dagen met ontbloot bovenlijf op een tabakszak op de vloer van de kliniek; opzij in zijn borst stak een kleine stalen scherf. Inademen kon hij zonder moeite, maar uitademen ging slechts met horten en stoten. Heel langzaam ademde hij in teneinde de pijnloze helft van de ademhalingscyclus zo lang mogelijk te rekken en als hij eenmaal had ingeademd, wachtte hij even ter voorbereiding op het uitademen. Uit angst om te veel lucht te moeten uitademen had hij zijn longen tot nog geen derde van hun capaciteit gevuld. De pauze werd gevolgd door een snelle stoot, een voorbedachte poging om alles in één keer uit te ademen, hetgeen steevast uitliep op een langzame, pijnlijke strijd om zich te ontdoen van het laatste restje lucht in zijn borst. Aan het eind van elke cyclus verschenen er in de mondhoeken van de Iyer donkere luchtbelletjes en afhankelijk van het volume uitgestoten lucht, zakten die langzaam in of barstten ze. Alles bij elkaar zag het er niet naar uit dat de priester nog erg lang zou leven, laat staan dat hij in staat zou zijn enig huwelijksceremonieel te voltrekken, maar desalniettemin veegde meneer Somasundaram plichtsgetrouw het straaltje van de wang van de oude man en verjoeg de vliegen die onophoudelijk om de wond samenzwermden. In de kliniek verzamelden vliegen zich bijna bij elk stukje blote huid, maar pas toen hij die ochtend zag hoe meneer Somasundaram de vliegen bij de priester vandaan joeg viel het Dinesh op hoe hun ritueel om op iemands huid neer te strijken op dat van tempelbezoekers leek. Als ze waren neergestreken vouwden ze zorgvuldig hun vleugels, bogen hun vier achterpoten, brachten hun lijf omlaag en negen hun kop. Ze hieven de twee voorpoten op voor hun gezicht en wreven zwijgend hun handjes over elkaar als in diep gebed en pas na enkele seconden in deze knieling plaatsten ze hun lippen eerbiedig op de huid.

Dinesh en Ganga naderden het terrein voor de kliniek en terwijl ze zich een weg baanden over de glibberige grond tussen de stukken zeil en de her en der verspreide handen en voeten, werden hun bewegingen onzekerder. Wanneer hij kon keek Dinesh op van de grond om te zien hoe Ganga voorzichtig voor hem uit liep, waarbij haar handen de onderkant van haar sari bevallig omhooghielden zodat hij niet door de modder zou slepen. Hij was blij dat ze opgehouden waren met praten, dat ze tenminste even konden zwijgen. Niet dat hun gesprek treurig of onaangenaam was geweest, want in feite verkeerde hij te veel in een shock om te beseffen wat hij tegen Ganga zei of om haar gezichtsuitdrukking te hebben opgemerkt. Hij was zo verbaasd geweest door het feit dat gedachten in de vorm van klanken uit zijn mond ontsnapten en via haar oren haar hoofd binnenkwamen, dat hij tijdens hun gesprek nergens anders op had gelet en hij was blij dat hij nu de gelegenheid had even in alle stilte te bekomen. Hij had er geen rekening mee gehouden dat hij en Ganga konden praten, dat ze konden communiceren en dat praten op zijn minst ook bij getrouwd zijn hoorde. Hij kon weliswaar geen enkel voorbeeld bedenken, maar ongetwijfeld behelsde getrouwd zijn niet slechts het af en toe delen van informatie, maar ook het voeren van een gesprek, praten omwille van praten. Dat was een enigszins verontrustende gedachte omdat Dinesh geen idee had waarover ze zouden kunnen praten als het zover was, maar het was voornamelijk, wist hij, verontrustend omdat hij in de afgelopen tijd zo gewend was geraakt te zwijgen. Het was heel normaal dat hij, na zo lang geen gesprek gevoerd te hebben, praten inspannend, zelfs merkwaardig vond, en hij hoefde zich nergens druk over te maken omdat hij er waarschijnlijk met enige oefening wel weer aan zou wennen.

Ze passeerden het kleinste schoolgebouw, waar boven de deuropening nog steeds met dikke letters 'Lerarenkamer' stond geschilderd, op weg naar het lange rechthoekige gebouw waarin de meeste gewonden waren ondergebracht. Het gebouw werd door muren in meerdere lokalen verdeeld, klas één tot en met klas negen, keurig aangegeven boven de deuropening net als de lerarenkamer, stuk voor stuk in gebruik op de klassen acht en negen na, die de week ervoor tijdens beschietingen waren beschadigd. Teneinde het vloeroppervlak te vergroten waren uit elk lokaal de tafels en stoelen verwijderd, en de gewonden lagen teen aan teen, zij aan zij, op zakken en stukken zeil op de cementen vloer. De enige indicaties dat de lokalen nog tot voor kort voor onderwijs waren gebruikt waren de schoolborden en de platen die aan de muur hingen, met het alfabet en de tafels van vermenigvuldiging, plus een paar kindertekeningen. Terwijl Dinesh en Ganga langzaam langs het gebouw liepen, namen ze door de van ijzeren spijlen voorziene openingen, bedoeld om de leerlingen van licht en frisse lucht te voorzien, snel de situatie op tot ze bij het lokaal van de vijfde klas waren gekomen en behoedzaam op de drempel bleven staan. Meneer Somasundaram zat nog op dezelfde plek als eerder op de dag, aan de andere kant van het lokaal tegen de muur, gebogen over het ontblote bovenlijf van de priester. Door de spijlen viel een bundel warm licht op de twee mannen en terwijl Dinesh en Ganga even vanuit de deuropening toekeken, masseerde meneer Somasundaram, heel wat minder energiek dan die ochtend, met zijn vingertoppen en duimen voorzichtig de Iyer, vermoeid van zijn nek naar zijn schouders naar zijn armen, intussen gedachteloos naar zijn eigen handen kijkend als verdiept in het ritme van de beweging. Zelfs vanuit de verte was te zien dat de borstkas van de Iyer niet bewoog, dat het bloed tussen de boven- en onderlip geen luchtbelletjes meer vormde. Hij was kennelijk zomaar zonder enige waarschuwing gestorven en meneer Somasundaram was, zich niet bewust van dit verloop, doorgegaan met zijn zorg voor het levenloze lichaam. Dinesh wachtte bij de deuropening terwijl Ganga op haar tenen langs de gewonde lichamen naar haar vader liep, die, toen hij haar zag, staakte waar hij mee bezig was en ietwat verbaasd rechtop ging zitten. Hij keek van zijn dochter naar Dinesh en daarna weer naar de Iyer, diens niet-bewegende borst en de straal donker bloed die op zijn wang was gestold. Zwijgend keek hij enige tijd naar het lichaam, toen drukte hij de levenloze handen, sloot de oogleden, en stond enigszins beverig op. Zonder iets te zeggen liep hij langs zijn dochter en Dinesh naar de deuropening, waar hij even bleef staan en zette toen, hun gebarend hem te volgen, koers in oostelijke richting. Ze volgden zwijgend, Ganga vlak achter hem en Dinesh op een afstand; naarmate de afstand tussen hen en de kliniek groter werd, bewogen hun benen zich sneller en zekerder totdat meneer Somasundaram bij de tent aangekomen plotseling halt hield. Even staarde hij naar een plasje water dat de korte regenbui op de grond had gevormd, daarna richtte hij zijn blik omhoog en keek Dinesh aan.

De Iyer is gestorven, begon hij, en hij zei dit alsof dat iets was wat ze niet al zelf hadden begrepen. Maar dat maakt niet uit. In dergelijke omstandigheden kan niet verwacht worden dat men zich aan alle gebruiken houdt.

Ganga bewoog zich dichter naar haar vader. Wat bedoelt u? Haar stem was zacht maar dringend, alsof ze niet wilde dat Dinesh haar verstond. Hoe kunnen we zonder de Iyer trouwen?

Meneer Somasundaram hield zijn blik gericht op Dinesh. Het is niet anders. We moeten doen wat ons te doen staat. God zal anderen erger straffen voor hun daden.

Maar waarom moeten we de ceremonie voltrekken? Voor het leger maakt het niet uit, die weten van niks. Als ze ernaar vragen, kunnen we doen alsof we getrouwd zijn.

Meneer Somasundaram scheen de vraag niet te horen. Ze herhaalde de laatste zin, maar hij reageerde niet, keek alleen maar naar het plasje voor hem en het was onmogelijk te zeggen wat hij precies dacht. Ganga keek haar vader deels resoluut, deels vol ongeloof aan. Ze bestudeerde zijn gezicht als zocht ze iets dat ze tot dan toe daar altijd had gevonden, maar nu niet meer zag en toen werden haar ogen ineens dof. De scherpe punten in hun midden verdwenen vormeloos in het vocht van haar irissen en al verschenen er geen kringen onder haar ogen en geen groeven in haar gezicht, ineens leek ze, door een subtiele verandering, een beetje ouder. Ze draaide zich met een ruk om en begon in noordelijke richting te lopen. Even nog keek meneer Somasundaram naar de plas en toen, alsof hij uit een droom ontwaakte, verhardden zijn trekken. Hij gaf Dinesh te kennen dat die bij de tent moest blijven, draaide zich om en liep Ganga achterna. Het was duidelijk dat er iets tussen de twee aan de hand was, maar het was beter, wist Dinesh, om geen overhaaste conclusies te trekken. Hij zag hoe ze zich verwijderden, hoe de vader geleidelijk aan de dochter inhaalde, haar arm greep en zij bleef staan. Ze waren nu ver weg en met alle tenten en mensen tussen hen in was het moeilijk op te maken wat er gebeurde, maar zo te zien leken ze niet met elkaar te praten. Ze leken gewoon naast elkaar te staan, zonder elkaar aan te kijken.

Dinesh keerde zich langzaam, enigszins zenuwachtig, af. Voor hem stond de grote, vierkante tent die aan Ganga en meneer Somasundaram toebehoorde; het blauwe dekzeil zakte enigszins tussen de stokken in. De tent besloeg een groter stuk grond dan de naburige tenten en vermoedelijk bevond zich binnen ook een kleine schuilgang, zodat het gezin onmiddellijk kon schuilen als de granaten begonnen te vallen. Daar hadden Ganga en meneer Somasundaram de afgelopen paar weken geslapen, daar hadden de vier gezinsleden verbleven toen de moeder en de zoon nog in leven waren en daar bewaarden ze waarschijnlijk alle bezittingen die ze van huis mee hadden kunnen nemen. Waarom wist hij niet precies, maar Dinesh wilde heel graag naar binnen gaan. Hij meende dat als hij de tent in ging en van dichtbij kon zien wat zich daar bevond, hij beter zou begrijpen wat er aan de hand was. Hij keek weer in de richting van Ganga en meneer Somasundaram. Ze stonden te ver weg om op hem te letten en als hij voorzichtig deed, kon hij zelfs in de gaten houden wanneer ze terugkwamen en naar buiten komen voordat ze hem zagen. Mocht hij toch niet op tijd zijn, dan kon hij tegen die tijd altijd nog een excuus bedenken; een tweede kans om ongehinderd alles in de tent te bekijken zou zich immers niet voordoen en deze was te mooi om voorbij te laten gaan. Ervoor zorgend dat hij het dekzeil niet meer dan noodzakelijk aanraakte, hurkte Dinesh vlak bij de ingang.

Na een korte aarzeling stak hij zijn hoofd in de smalle opening. Binnen was de lucht zwaar en droog, een beetje bedompt en het naar binnen filterende blauwe licht maakte dat alles er tijdloos uitzag. Over het stuk grond vlak voor de ingang lag netjes een beddenlaken uitgespreid met daaronder een stuk wit zeil zodat het niet nat werd als het regende. Midden op het laken stond een lichtbruine tas waarvan het canvas aan weerszijden vanwege de volumineuze inhoud uitpuilde. Aan één kant van de tent stonden een gedeukte plastic koffer en een kleinere canvas tas, en aan de andere kant een paar zwartgeblakerde potten en pannen, enkele plastic zakken met rijst en ander droog voedsel en nog een plastic tas met wat slippers en schoenen. Achter in de tent was de schuilgang, voor zover hij kon zien zeker een meter twintig diep, waarvan de zijkanten versterkt waren met dunne houten balken. Dinesh schoof centimeter voor centimeter tot halverwege zijn lichaam de tent binnen in de richting van de tas op het laken en keek er heel indringend naar alsof hij de waarheid die de tas verborg eraan kon ontlokken. Hij zou de tas het liefst willen openen en erin kijken, maar dat leek een beetje riskant, want dan zou hij nog verder de tent binnen moeten gaan en wat voor excuus zou hij dan hebben als Ganga en meneer Somasundaram ineens terugkwamen en hem zo aantroffen? Hij kon de tas natuurlijk openmaken en de inhoud zo snel doorzoeken dat hij er klaar mee was voordat ze terug konden komen, maar dat was zinloos, want wat hij wilde ontdekken vereiste vast en zeker meer tijd om aan het licht te brengen dan louter doorzoeken mogelijk maakte. Dinesh schoof nog een eindje verder naar binnen zodat zijn knieën op het laken rustten en zijn voeten nog steeds buiten waren. Hij strekte zijn vingers uit en streek met zijn vingertoppen over de zijkanten van de uitpuilende tas en vervolgens, iets meer op zijn gemak, over de strak staande stof. Hij ontwaarde de randen van

51

de voorwerpen die zich vaag tegen de buitenkant aftekenden, en er zachtjes met zijn vlakke handen tegenaan drukkend probeerde hij zich voor te stellen wat het waren. Hij kon niets met zekerheid vaststellen, maar niet langer bang dat hij gesnapt zou worden omvatte hij de tas met beide handen, en met gesloten ogen, alsof de tas de buik was van een vrouw met een kind erin, luisterde hij of hij ook enige tekenen van leven hoorde, al blij met de kleinste aanwijzing over de dingen die erin zaten, alsof dat hem een beter begrip van de situatie zou geven.

Waarover ze ook van mening verschilden, Ganga had gelijk dat een huwelijk weinig verschil voor haar veiligheid zou maken. Ze zouden altijd kunnen doen of ze getrouwd waren als de soldaten haar daardoor anders zouden behandelen, maar er was grote kans dat ze hoe dan ook met haar, ongeacht haar huwelijkse staat, zouden doen wat ze wilden. Gegeven die situatie was het nogal onbegrijpelijk waarom meneer Somasundaram dan zo graag wilde dat ze trouwden. Uiteraard was het mogelijk dat hij zijn dochter getrouwd wilde zien voor hij stierf, zodat hij wist dat ze niet alleen zou achterblijven als hij niet er niet meer was, maar ook dat was onaannemelijk, aangezien een huwelijk, dat moest hij toch weten, Ganga's vooruitzichten vermoedelijk meer zou benadelen dan bevorderen. Hoogstwaarschijnlijk zouden beiden voor het einde van de gevechten gedood worden, maar in het weinig waarschijnlijke geval dat zij in leven bleef en hij doodging, zou ze de rest van haar leven als weduwe moeten doorbrengen, terwijl ze als ongetrouwde tenminste een kans had later zelf een echtgenoot te vinden. Een huwelijk was niet noodzakelijkerwijs het beste voor Ganga, en als meneer Somasundaram wilde dat ze trouwde, was het niet voor haar bestwil maar voor het zijne. Waarschijnlijk wilde hij het alleen maar om niet meer verantwoordelijk te hoeven zijn voor zijn laatste gezinslid, zodat hij, bevrijd van elke verantwoordelijkheid, zich uiteindelijk alleen en in alle rust kon schamen. Want dat meneer Somasundaram zich schaamde was buiten kijf. Het was de plicht van een vader te zorgen dat zijn gezin veilig was en daarin had hij voor zijn vrouw en zoon gefaald. Hij had ongetwijfeld alles gedaan wat in zijn vermogen lag en in dat opzicht viel hem in zekere zin niets te verwijten, maar het feit dat hij hun levens niet had kunnen redden maakte waarschijnlijk dat hij zich nog slechter voelde, in elk geval niet beter. Met wat voor recht nam hij de verantwoordelijkheden van een echtgenoot en vader op zich als hij niet eens de veiligheid van zijn vrouw en zoon kon waarborgen? Het deed er niet toe of een andere man in zijn positie het er wel of niet beter van af had kunnen brengen, want met welk recht was hij getrouwd en had hij kinderen gekregen als hij hun niet kon geven wat er het meeste toe deed? Het was waar dat het leven hem niet eerlijk had behandeld, het had hem doen geloven dat hij die verantwoordelijkheden op zich kon nemen en hem vervolgens alle mogelijkheden om daaraan te voldoen ontnomen terwijl het anderen die dezelfde risico's hadden aanvaard ongehinderd met hun leven liet doorgaan; maar hoe dan ook moest eenieder uiteindelijk rekenschap afleggen voor wat hij als individu had ondernomen. Het ging er uitsluitend en alleen om of iemand in staat was geweest zijn geliefden te beschermen, en hij was dat welbeschouwd niet geweest. Het was niet meer dan natuurlijk dat hij nu vooral van zijn verplichtingen verlost wilde worden, zodat hij in alle rust kon nadenken over zijn falen als man.

Maar mensen zouden zeggen dat meneer Somasundaram zijn dochter in de steek liet door haar uit te huwelijken, gewoon een ander met zijn plichten opzadelde, zodat hij zijn laatste levensdagen in eenvoudige rust kon doorbrengen. Misschien was Ganga daarom van streek, omdat ze het gevoel had dat haar vader haar in de steek liet. Het was niet per se dat ze Dinesh niet mocht of dat ze sowieso niet met hem wilde trouwen, en misschien zou ze in andere omstandigheden graag, zonder aarzeling, met een huwelijk hebben ingestemd. Het was allemaal gissen, maar ongeacht de situatie waarin Ganga zich bevond, was het moeilijk om ook niet met meneer Somasundaram mee te voelen. Weliswaar verzaakte hij de plichten van een vader tegenover zijn dochter, en dat was onvergeeflijk, maar duidde het feit dat hij zich zo veel moeite getroostte alvorens afscheid van haar te nemen en haar niet gewoon zomaar in de steek liet, er niet op dat hij zich altijd nog op de een of andere manier met haar verbonden voelde? Dat hij haar niet langer kon beschermen, of hij nu wel of niet bij haar bleef, dat hij veel meer afhankelijk van haar was dan zij van hem, dat was onmiskenbaar, en toch voelde hij zich nog steeds verantwoordelijk voor haar toekomst. Hij trachtte weliswaar zijn verantwoordelijkheid over te dragen, maar hij besefte nog steeds dat die overdracht zijn verantwoordelijkheid was, geloofde dat het zijn verantwoordelijkheid bleef tot deze ten slotte was overgedragen. Dat betekende dat hij Ganga in zekere zin nog altijd als zijn dochter beschouwde, hetgeen, zo besefte Dinesh, in een dergelijke situatie belangrijk was, ook al mocht er alles welbeschouwd meer van een vader verwacht worden. Ongeveer een maand eerder, niet in dit kamp maar in een van de vorige waarin hij had verbleven, was Dinesh getuige geweest hoe twee mannen van achter in de dertig een op de grond liggende man in elkaar trapten, terwijl diens vrouw en zoon, luid jammerend maar zonder tussenbeide te komen, toekeken. De man op de grond kon zich nauwelijks bewegen, bij elke schop kromp hij in elkaar en hoestte hij dikke proppen bloed op. Hij stikte al bijna toen een paar mannen die zagen wat er gebeurde ingrepen en de aanvallers in bedwang hielden. De twee mannen probeerden zich los te vechten om zich weer op de man te storten, maar krachtig tegengehouden kalmeerden ze langzaamaan en hijgend legden ze aan de inmiddels om hen heen verzamelde menigte uit wat er was gebeurd. De door hen afgeroste man was hun zwager, die op dat moment enkele jaren met hun jongere zuster was getrouwd. Hij was altijd al een enigszins angstige man geweest, had op de een of andere manier nooit blijk gegeven dat men echt op hem kon bouwen en toen de gevechten begonnen vreesden de broers onafhankelijk van elkaar dat hij hun zuster en neef in de steek zou laten om zo zijn verantwoordelijkheid te ontlopen. Ze hadden er nooit openlijk over gesproken, beschaamd als ze waren iemand uit hun familie zonder goede redenen te wantrouwen, maar diezelfde ochtend hadden ze bij het wakker worden ontdekt dat hij ineens was verdwenen. Ze hadden een aantal uren gewacht, maar hij was niet teruggekomen, en ten slotte zochten de twee het kamp af om hem op te sporen. Toen ze hem vonden, ver van hun tent, lag hij half bewusteloos op de grond met naast hem een halfleeg blikje pesticide. Zelfs weglopen was te veel voor de lafaard en in plaats daarvan had hij geprobeerd een einde aan zijn leven te maken en de zorg voor zijn vrouw en kind aan hen over te laten in plaats van zelf de situatie onder ogen te zien, zoals een echte echtgenoot en vader betaamde. Bij het aanhoren van dit verhaal verslapten de mannen die de broers vasthielden hun greep enigszins zonder hen los te laten en probeerden hen bij de man op de grond vandaan te trekken. Als ze hem doodden, gaven ze hem precies wat hij wilde, zei een van hen rustig, terwijl hij hen wegduwde, en er waren al genoeg doden zonder dat de burgers elkaar onderling doodsloegen. Toen ze uiteindelijk van het toneel waren verdwenen, knielde de vrouw van de man, te bang om ten overstaan van haar broers enige affectie te tonen, naast hem op de grond en begon het bloed weg te vegen. Ze huilde stilletjes samen met haar zoon, die alles had gehoord wat zijn ooms hadden gezegd maar hopelijk te jong was om te begrijpen wat het betekende.

Voetstappen naderden de tent en Dinesh' handen verstijfden boven op de tas. Vlak voor de tent stopten de voetstappen, maar gelukkig vervolgden ze hun weg. Dinesh trok zijn handen weg van de tas. Hij had nog geen zin om de tent te verlaten, omdat er behalve de tas andere dingen waren die hij nog niet voldoende had kunnen bekijken, maar hij was nu al een paar minuten binnen en hij kon beter naar buiten gaan voordat Ganga en meneer Somasundaram terugkwamen. Hij keek nog eenmaal om zich heen, probeerde in zich op te nemen hoe alles binnen gerangschikt was, zodat de geheimen hem later misschien geopenbaard konden worden en kroop toen langzaam achteruit terug in de weidse avond. De lucht begon al donker te worden, en na de binnenkant van de kleine vierkante tent had de enorme grijze weidsheid die zich boven zijn hoofd uitstrekte iets overweldigends. Dinesh bleef enige tijd op de grond zitten om zijn ogen te laten wennen, stond vervolgens lichtelijk duizelig op en keek om zich heen. Hij zocht de omgeving af tot hij Ganga en haar vader zag. Ze liepen langzaam terug naar de tent, de vader voorop, de dochter enkele passen achter hem. Geen van beiden leek veel oog voor hun omgeving te hebben en ze hadden vast en zeker niet opgemerkt dat hij in hun tent was geweest. Dinesh draaide zich om, deed een tijdje alsof hij naar de grond stond te staren en toen hun voetstappen zo vlakbij waren dat hij ze kon horen, keerde hij zich met een blik van lichte verwondering om, als had hij tot dat moment aan andere dingen staan denken dan aan hen.

Zoon, zei meneer Somasundaram. Zijn stem klonk nu kalm en gezaghebbend, anders dan hij eerder had geklonken. Kom. Ben je nog steeds bereid tot het huwelijk?

Dinesh keek naar Ganga, die een eindje verderop rechts stond. Ze keek de andere kant uit en het was niet te zien hoe haar gezicht stond. Dinesh wendde zich weer tot meneer Somasundaram. Hij aarzelde even en knikte toen langzaam.

Goed. Er is geen priester meer om de huwelijksceremonie te voltrekken en een formele registratie is onmogelijk. Maar het belangrijkste is, zei meneer Somasundaram, dat ik, als vader van de bruid, jullie mijn zegen geef.

Hij wendde zich van Dinesh naar zijn dochter, die nog steeds de andere kant uit keek.

De omstandigheden zijn ongebruikelijk, maar dit is een huwelijk als elk ander. Jullie moeten bij elkaar blijven en verantwoordelijk voor elkaar zijn. En eens zullen jullie, als in elk gewoon huwelijk, een gezin stichten en kinderen krijgen.

Geen van beiden reageerde. Meneer Somasundaram hurkte voor de tent waar Dinesh zojuist nog binnen was geweest, stak zijn hand naar binnen en trok de volgestouwde lichtbruine tas naar buiten, die Dinesh even ervoor in zijn handen had gehouden. Hij ritste de tas open en haalde er een aantal zaken uit die hij vlak bij de ingang op de grond van de tent uitstalde: twee kartonnen mapjes vol papieren, plastic tassen, opgevouwen kleren en een aantal netjes in papier verpakte pakjes, stuk voor stuk heel andere dingen dan Dinesh had gedacht dat er in de tas zouden zitten. Bijna helemaal onderin zat wat meneer Somasundaram zocht, een kleine ingelijste afbeelding van Lakshmi en een papieren, enigszins opbollende envelop. Hij stopte alle overige zaken weer terug in de tas en probeerde die dicht te ritsen, maar in zijn haast had hij de spullen niet voldoende aangedrukt en het lukte hem niet de opening volledig te sluiten. Hij zette de tas voor de tent en plaatste de afbeelding ertegenaan zodat die bijna verticaal stond. Hij kwam langzaam overeind, keek om zich heen om er zeker van te zijn dat niemand luisterde en sprak toen fluisterend tegen Dinesh.

In de tas zitten, behalve negenduizend roepies en de akten van ons land in Malayaalapuram, sari's en andere dingen van waarde, ook alle juwelen van mijn vrouw. Alles is nu van jullie beiden. Zorg er goed voor. Het is niet veel, maar niemand kan zeggen dat ik jullie niet alles wat ik bezat heb gegeven.

Hij begon de envelop te openen, ervoor zorgend niet meer papier te scheuren dan nodig was en haalde er een opgevouwen kinderzakdoek uit. Hij stopte de envelop in zijn hemdzak en legde de gevouwen zakdoek eerbiedig op zijn linkerhandpalm. Langzaam vouwde hij de zakdoek open en onthulde, geregen aan dun geel garen, niet groter dan een kinderteen, een klein, kunstig bewerkt klompje goud.

Dit, zei meneer Somasundaram, terwijl hij de ketting aan beide uiteinden oppakte, zodat het klompje goud voor hun ogen hing, is de *thaali* van je moeder.

Dinesh en Ganga staarden naar het voorwerp alsof ze nooit eerder een thaali hadden gezien. Ze keken er lichtelijk onzeker naar, alsof ze de oorsprong en de functie van het voorwerp niet kenden, alsof het misschien magische krachten bezat die plotseling op hen losgelaten konden worden.

Als je gereed bent, zei meneer Somasundaram, naar Dinesh kijkend, is het enige wat je hoeft te doen deze thaali om de bruid hangen.

Dinesh keek van Ganga naar haar vader. Hij merkte op dat vlakbij twee of drie andere mensen zwijgend en nieuwsgierig naar hen stonden te kijken, omdat ze op de een of andere manier doorhadden dat er een huwelijk werd voltrokken. Voor het eerst was hij zich bewust van zijn vieze kleren en zijn groezelige lichaam.

Moet ik mij niet eerst wassen? Ik wist niet dat het huwelijk nu meteen plaats zou vinden. Ik heb geen andere kleren om aan te trekken.

Maak je geen zorgen, zoon, zei meneer Somasundaram. Dat doet er niet toe. Om de thaali om te hangen heb je alleen de zegen van de ouders van de bruid nodig, van de vader van de bruid. In omstandigheden als deze hoeven we ons nergens anders zorgen over te maken.

Hij hield Dinesh de thaali voor, die hem aarzelend met beide handen aanpakte en hij gebaarde Ganga om voor Lakshmi te gaan zitten. Ganga hurkte neer, ervoor zorgend dat ze haar sari niet vies maakte en keek lusteloos naar de godin. Dinesh ging tussen Ganga en de afbeelding staan, met de thaali in beide handen, en keek ongemakkelijk en nerveus naar meneer Somasundaram, die knikte dat hij door moest gaan. Hij liet zich langzaam op zijn knieën zakken zodat het hoofd van de bruid ter hoogte van zijn borst was; hij wendde zijn blik af maar was zich tegelijkertijd scherp bewust van haar nabijheid. Haar haar rook indringend naar zeep en olie, haar sari naar mottenballen; die sari was misschien ook van het huwelijk van haar ouders. Met in elke hand een uiteinde van de draad liet Dinesh het kleine gouden klompje op de gladde bruine huid tussen Ganga's sleutelbeenderen rusten en legde de beide uiteinden van de draad voorzichtig om haar hals. Hij talmde even als in afwachting van een vreemde transformatie die zou plaatsvinden als de beide uiteinden aan elkaar werden geknoopt en vervolgens haalde hij diep adem, boog zich voorzichtig over Ganga waarbij hij oppaste haar huid niet te raken en legde de eerste knoop, toen de tweede en ten slotte de derde. Hij wachtte, terwijl hij de draad nog steeds vasthield, leunde achterover en liet de draad los. Even ontmoetten hun ogen elkaar. De wereld buiten hun blik leek weg te smelten, en zoals twee menselijke wezens die elkaars pad kruisen in een doods en leeg land, stilhouden en met woorden en gebaren een smalle brug tussen hun werelden pogen te bouwen, zo hielden hun ogen elkaar vast en probeerden, al was het maar voor een kort, trillend moment, de dode huid en stoffige lucht tussen hen te doorbreken.

Een lichte bries streek langs hun oren. Ze waren gehuwd.

3

HEB JE ZIN om een eindje te gaan lopen?

De vraag, hoewel gedempt uitgesproken, klonk luid in de stilte en Dinesh en Ganga waren zich ineens bewust van hun omgeving. De halve cirkel van de maan was al zichtbaar aan de hemel en het avonddonker had hun lichamen reeds omsloten als een warme oceaan die langzaam, in soepele golven over hen heen spoelde. Ze hadden geen idee hoe lang ze daar al roerloos, op enkele tientallen centimeters van elkaar, hadden gestaan. Nadat de thaali was omgehangen en het kleine aantal toeschouwers zich had verspreid, hadden ze een tijdje staan kijken terwijl meneer Somasundaram in de tent rondkeek, de lichtbruine tas die hij hun had gegeven opnieuw inpakte en maakte dat alle andere dingen op hun plaats stonden. Toen de tent even netjes en opgeruimd was als een huis voor nieuwe bewoners, was hij naar buiten gekropen, had een paar stappen achteruit gedaan en van een afstand peinzend zijn blik laten gaan over zijn schoonzoon en zijn dochter, de tent achter hen en de lichtbruine tas aan hun voeten. Hij had Dinesh uitdrukkelijk te verstaan gegeven dat ze zich onder geen beding van elkaar mochten laten scheiden. Als ze te maken kregen met ronselaars van de beweging of van de regeringstroepen, moesten ze onmiddellijk Ganga's thaali laten zien, zodat er geen twijfel over bestond dat ze man en vrouw waren. Ze moesten zeggen dat ze een jaar getrouwd waren en als er naar hun huwelijkscertificaat werd gevraagd, moesten ze zeggen dat dat zoek was geraakt tijdens de evacuatie uit het dorp. Dinesh had geknikt, enigszins van zijn stuk dat deze mogelijkheden al zo snel aan de orde gesteld moesten worden, en meneer Somasundaram had, als ter verklaring, eraan toegevoegd dat hij terug moest naar de kliniek om erop toe te zien dat het lichaam van de Iyer op de juiste manier werd verzorgd. Terwijl hij dit zei, liet hij zijn schouders een beetje hangen en verslapte de strakke uitdrukking op zijn gezicht. Hij bekeek de twee als bewonderde hij de laatste streken op een schilderij dat hij zojuist had voltooid, boog toen naar voren en probeerde Ganga, die stokstijf bleef staan, te kussen terwijl hij zijn handen om haar hoofd legde en zijn wangen tegen haar gezicht drukte. Hij pakte de kleine canvas tas op die Dinesh eerder in de tent had gezien, wierp nogmaals een blik op de twee, draaide zich met een zekere onherroepelijkheid om en ging op weg, niet naar de kliniek, maar in zuidwestelijke richting. De twee waren blijven staan, ogen afgewend, zonder te weten wat te zeggen of te doen, totdat Dinesh zich ten slotte bezorgd afvroeg of er al niet te veel tijd was verstreken zonder verbale of fysieke actie. Hij had de indruk dat de dynamiek gecreëerd door het omhangen van de thaali omgezet diende te worden in een gezamenlijke activiteit, anders zou hun huwelijk in een impasse geraken. Hij strekte zijn armen uit ten teken van beginnende onrust, verzamelde al zijn moed en stelde de vraag.

Ten slotte reageerde Ganga door haar hoofd op te richten.

Een eindje lopen? Waarheen?

Dinesh probeerde oogcontact met haar te maken. Ik kan je laten zien waar ik bivakkeer.

Ganga dacht even na.

We moeten op de tas passen tot mijn vader terug is.

Waarom nemen we die niet gewoon mee?

Doe niet zo raar. En de tent dan? Die kunnen we niet onbeheerd achterlaten.

Dat kan best, probeerde Dinesh vol overtuiging te zeggen. We zijn weer terug voordat iemand iets in de gaten heeft.

Ganga zweeg nog een poosje alsof ze het voorstel afwoog tegen andere plannen die ze voor de avond had gemaakt en stemde toen in. Dinesh pakte de tas op en liep toen langzaam voor haar uit, door het kamp in noordelijke richting. Verwonderd, maar ook enigszins bezorgd luisterde hij naar de lichte stappen achter hem, alsof Ganga en hij slechts bijeengehouden werden door een dunne draad, die zou kunnen breken als hij te snel ging. Daarom liep hij weloverwogen langzaam, ook toen ze aan de rand van het kamp waren gekomen, maar al te blij om het moment uit te stellen dat ze weer tegenover elkaar zouden staan zonder iets te zeggen te hebben. Ze passeerden de noordoostelijke grens van het kamp, waarna ze zich een stuk door de jungle baanden, tussen de lage takken en leerachtige klimplanten door totdat in een gedeelte waar het gebladerte extra dik was zich ineens een kleine ronde, onbegroeide plek ontsloot. Het was al laat, maar de omringende bomen lieten genoeg ruimte voor het laatste blauwe avondlicht om de varens en struiken die de grond bedekten te verlichten; Dinesh bleef aan de rand staan, deed een stap opzij zodat Ganga de plek in zijn geheel kon overzien. Aan de andere kant, gedeeltelijk aan het zicht onttrokken door de omringende vegetatie, was het lange, elliptische rotsblok waarnaast hij 's nachts sliep, ongeveer een meter vijftig lang en zestig centimeter breed met over de gehele oppervlakte een laag zacht mos als een droog groen tapijt. Bij de eerste aanblik had hij beseft dat dit een ideale slaapplek was en hij had onmiddellijk alle begroeiing voor het rotsblok weggehaald, zodat er een smalle, rechthoekige ruimte was ontstaan, beschaduwd door de grote bladeren van de omringende varens, onzichtbaar zelfs vanaf de rand van de open plek. Hij had zorgvuldig elke grasspriet in de rechthoek uitgetrokken, vervolgens alle kiezels en stenen uit de aarde verzameld en daarmee een sierrand rondom de plek aangelegd, een soort psychologische of spirituele vesting voor zijn slaapplaats. Met enkele takken bakende hij het bed nog duidelijker af, maar toen had hij het gevoel dat het te opvallend was geworden, dat men kon zien dat de plek bewoond werd en hij had de takken weggehaald, en alleen de rand van kiezels en stenen laten liggen. Ten slotte modelleerde hij voor het noordelijke uiteinde van het rotsblok een kleine verhoging van aarde, als een rustkussen voor zijn hoofd, terwijl de rest van zijn lichaam wegzonk in de volle, zachte grond die hij met zoveel zorg had blootgelegd. Met zijn rug tegen het rotsblok gedrukt, niet vanwege diens mossige oppervlakte, maar vanwege het gevoel van veiligheid dat dat hem gaf, de zekerheid dat er van achteren geen gevaar kon komen, lag hij elke avond op deze rechthoek, zonder geluid te maken en zonder te slapen, zonder gedachten en zonder verwachtingen, en nu Dinesh ernaar keek, naar de bemoste rots en de begroeiing waartussen die was ingedamd en de hoge bomen waartussen dit alles verscholen lag, voelde hij hoe een merkwaardige warme golf zich uitspreidde over zijn wangen, hals en armen. Eerder al had hij zich veilig en op zijn gemak gevoeld op deze open plek, maar nu hij er met Ganga naast zich naar keek, kon hij zich niet voorstellen dat er ergens in het kamp een veiliger en comfortabeler plaats kon zijn.

Ganga keek enige tijd naar de plek en toen weer naar Dinesh, alsof ze niet begreep wat hij van haar verwachtte. Dinesh gebaarde haar hem te volgen en liep naar het rotsblok waarbij hij ervoor zorgde onderweg niet op de planten te trappen. Voor het rotsblok ging hij op zijn hurken zitten, zette de tas rechts van hem zodat Ganga kon gaan zitten zonder haar sari vies te maken en wenkte haar. Zwijgend liep ze naar hem toe en ziende dat hij wilde dat ze op de tas ging zitten, trok ze de onderkant van haar sari iets op en liet zich voorzichtig neer. Ze zei niets, kennelijk niet verrast door of onder de indruk van het feit daar zo'n mooi opgemaakte, verborgen slaapplaats aan te treffen, alsof de kleine rechthoek niets bijzonders had, niet iets wat een opmerking waard was. Misschien moest ze daarvoor eerst wat meer tijd daar doorbrengen. Misschien duurde het enige tijd om de plek op waarde te schatten, was het niet onmiddellijk iets opmerkelijks. Per slot van rekening was het vreemd hoe hij zich aan die plek was gaan hechten. De oorlog had zijn familie, vrienden en kennissen uiteengerukt en gedood en hij was in dit kamp, op deze plek terechtgekomen, terwijl hij net zo goed ergens anders had kunnen belanden. Hij had hier niet meer dan acht, misschien negen nachten doorgebracht en toch was de plek hem zo vertrouwd geworden, vooral deze slaapplaats waar hij elke nacht lag, in stilte en roerloos, zonder te slapen. Het was alsof zijn lichaam gedurende die uren aan de aarde en het gesteente een warme, onmerkbare substantie had afgegeven, iets wat de kleine ruimte had gevuld met informatie over hem, zodat zij in zekere zin deel van hem was geworden, een speciale plek, bijna een thuis. Wat hij precies had afgegeven was moeilijk te bepalen – wellicht geur, wellicht oude huid. Wellicht was het alleen maar de zachte ruis van zijn lichaam in de voorgaande nachten, minieme sporen van fysieke pulsaties die nog doortrilden in de aarden en stenen deeltjes. Misschien waren het deze fysieke echo's die lang naklonken op de plek nadat iemand daar was geweest, die die plek tot iemands thuis maakten en misschien waren alleen zij de oorzaak van de lichte trilling die iemand beving als hij naar het huis van zijn jeugd terugkeerde, was de weerklank van de levende lichaamspulsaties op de pulsaties die lang geleden aan die plek waren afgegeven de simpele oorzaak, zoals wanneer een stemvork een hard voorwerp raakt, wordt teruggetrokken en voordat de trilling vervaagt er weer naast wordt gehouden. Hij kon niet goed uitleggen wat hem tot het rotsblok en de ligplaats aantrok, maar hij besefte, voelde, rook dat de plek zich om hem bekommerde, zich over hem ontfermde. Misschien zou Ganga dit ook gaan ervaren en al was dat nu niet het geval, dan maakte het niets uit, want hij was ervan overtuigd dat de plek haar zou accepteren en zou beschermen.

Een vlaag koele lucht trok over de open plek en de omringende varens bewogen zachtjes en kwamen weer tot rust. Nogmaals werd Dinesh zich bewust van Ganga's lichamelijke aanwezigheid naast hem. Het drong nu tot hem door dat hij nog geen geschikte gelegenheid had gehad haar goed aan te kijken, haar gezicht te bestuderen om een indruk van haar en van wat ze voelde te krijgen. Tijdens hun eerdere gesprekken was hij te zenuwachtig en na de huwelijksvoltrekking, toen ze zwijgend naast elkaar hadden gestaan, te verlegen geweest om haar recht in het gezicht te kijken. Nu draaide hij zijn lichaam enigszins in haar richting en probeerde onopvallend haar vanuit een ooghoek te bekijken. Ze zat voorovergeleund op de tas en met haar gezicht van hem afgewend, in de verte te staren. Vanuit zijn lagere positie op de grond kon hij haar gezichtsuitdrukking niet zien, hij zag alleen maar de zachte welving van haar lange rug en hoe de onderkant van de mouw van haar blauwe bloes strak om haar linkerarm zat. Hij leunde nadrukkelijk achterover tegen het rotsblok in de hoop haar aandacht te trekken.

Wat een mooie sari, zei hij hardop.

Ganga knikte, haar gezicht nog steeds afgewend.

Is die ook van je moeder?

Ze knikte nogmaals, pakte een van de steentjes op die de rand van het bed voor haar vormden en rolde dat gedachteloos over de palm van haar linkerhand. Over haar onderarm liep, zag Dinesh, een lang, verdikt litteken, lichter dan de rest van haar huid en glad, afgezien van enkele enigszins dikkere, er loodrecht op staande krassen. Hij ging rechtop zitten en zonder erbij na te denken hield hij zijn rechterhand ernaast, terwijl zijn vingertoppen vlak boven haar huid zweefden zonder die aan te raken.

Ganga speelde niet langer met de steen.

Wanneer is dat gebeurd? vroeg Dinesh.

Ze gaf niet onmiddellijk antwoord, alsof ze er even over moest nadenken.

Een tijdje geleden. Ik sprong in een bunker zonder te kijken.

Doet het nog pijn?

Je ziet toch dat het genezen is?

Ik heb ook zo'n soort wond, maar die doet soms nog pijn. Dinesh strekte zijn linkerbeen uit en trok zijn sarong op om een snee te laten zien die van de achterkant van zijn knie tot net boven zijn hiel liep. In tegenstelling tot die van haar lag hij niet op de huid maar was erin verzonken en van een glimmende, bijna plasticachtige consistentie. Gevolg van een granaatscherf.

Ganga keek naar zijn litteken, toen naar het hare en vervolgens weer naar het steentje dat ze over haar handpalm heen en weer had laten rollen. Dinesh kwam er niet goed achter of ze hoorde wat hij zei, of ze überhaupt bewust was van wat ze zelf zei. Ze had de gewoonte haar ogen iets dicht te knijpen en te wachten voordat ze iets zei, haar blik in de verte, turend, en als ze uiteindelijk begon te praten, leken haar woorden afstandelijk, alsof ze van een bron buiten haar kwamen, van mechanisch bewegende spieren in haar tong, mond en keel. Met gefronste wenkbrauwen luisterde ze even ingespannen als hij naar die woorden, alsof ze eigenlijk zelf totaal niet besefte wat ze zojuist had gezegd. Misschien deed hij ook zo, als hij praatte, wie zou het zeggen. Dinesh trok zijn sarong omlaag en kruiste zijn benen. Hij schoof op naar de rots, leunde tegen het droge, bemoste oppervlak als om even te rusten en keek toen weer naar Ganga. Hij had weer het gevoel dat hij wat moest zeggen. Hij was bang dat, als hij te lang wachtte, het te laat zou zijn om het gesprek te hervatten, dat ze beiden weer in hun eigen wereld zouden terugvallen en het gesprek voor altijd beëindigd zou zijn.

In welke klas zit jij?

Ganga opende haar lippen alsof ze iets ging zeggen, maar sloot ze weer. Ze liet het steentje stil in haar hand liggen en legde het toen, bijna onwillig, neer op de grond tussen hen in. Je kon uit haar gezicht niet opmaken of ze de vraag goed had verstaan, of ze de vraag had verstaan maar niet begrepen of dat ze de betekenis had begrepen maar gewoon niet wist wat ze moest zeggen. Een tijdje staarde ze naar de grond voordat haar lippen bewogen en er enkele nauwelijks verstaanbare woorden uit kwamen.

Vorig jaar heb ik de middenschool afgemaakt.

Ging je door naar de middelbare school?

Ze knikte langzaam. Maar een paar weken nadat de school was begonnen, sloot hij.

In Malayaalapuram?

Ze knikte.

Welke school was dat?

Het Malayaalapuram Hindoe College voor meisjes.

Toen Dinesh dit hoorde, zweeg hij even en bedacht toen een andere vraag.

Welk vakkenpakket deed je?

Boekhouden.

Was je goed in wiskunde?

Ganga dacht even na en fronste toen geërgerd haar wenkbrauwen.

Hoe moet ik dat weten?

Dinesh zweeg een tijdje. Toen raapte hij het steentje dat Ganga had neergelegd op en bestudeerde het. Hij hield het stevig tussen duim en wijsvinger geklemd, voelde de ruwe, oneffen randen
tegen zijn vingertoppen en was bijna verbaasd dat het niet onder
de druk die hij erop uitoefende zacht werd of verbrokkelde.

Ik deed natuur en techniek, zei hij zachtjes.

Ganga reageerde niet.

Ik was de tweede van mijn eindexamenklas. De jongen die
voor mij was kreeg een plaats op de universiteit. Ik kwam maar
een paar punten tekort.

Hij wachtte tot ze wat zou zeggen, maar ze keek niet eens op.

Biologie was mijn lievelingsvak.

Opnieuw geen reactie. Dinesh legde het steentje terug op zijn
plek in de rand. Hij voelde zich een beetje dwaas, alsof hij zojuist
iets onnozels of stoms had gezegd. Hij snapte niet waarom hij
uitgerekend naar haar school had gevraagd. Hij had al zo lang
niet meer aan school gedacht en plotseling waren die woorden
aan hem ontglipt, eindexamen, universiteit, wiskunde, biologie.
Ze waren bijna onwillekeurig uit zijn mond gekomen en zodra ze
uitgesproken waren, voelde hij de grote afstand tussen hem en
die woorden, als met een foto uit je kindertijd, waarop je je gezicht herkent terwijl de stemming en de gedachten die dat gezicht
bezield hadden verdwenen waren. Natuurlijk hadden school en
examens deel uitgemaakt van zijn leven, van hoe hij had geleefd,
maar waarom zou hij nu over zijn verleden praten of Ganga naar
het hare vragen? Ze hadden dat al zo lang achter hen gelaten,

waarom zou hij daar nu over beginnen, wat voor zin hadden hun verledens voor degenen die ze nu waren? Dinesh dacht aan al die verlaten en verwoeste gebouwen waarin hij als kind vele jaren geleden altijd speelde, niet lang nadat de beweging voor de eerste maal zijn dorp en de omgeving had bevrijd, aan de tijd waarin hij stiekem over de verzakte schuttingen van palmbladeren klauterde, door de verwilderde, in onbruik geraakte tuinen en door de vervallen bouwsels zwierf. De bouwvallige muren waren doorzeefd met kogelgaten en waar ze niet volledig doorboord waren, was de oranje baksteen zichtbaar als bloedende wonden. Hij liep stilletjes door het stof en het puin, scharrelde en snuffelde tussen de gebroken terracottakleurige pannen van de ingestorte daken, de rottende houten planken van deuren en plafonds, de brokstukken van de porseleinen waskommen, het vervormde, roestige ijzer van fundamenten en pijlers. Vlak bij zijn huis stonden tientallen beschadigde gebouwen om te verkennen, maar ongeacht hun verschillende oorspronkelijke hoedanigheid of doel, of ze nu vroeger een huis, een winkel, een school, of een schrijn waren geweest, het puin van al deze door gevechten verwoeste gebouwen had er altijd hetzelfde uitgezien. Uiteraard trof je tussen al die brokken pleister, beton, hout en steen voorwerpen aan waaruit viel af te leiden wat het voor gebouw was geweest, wie het had geherbergd, welk doel het had gediend. De restanten van een bureau waaraan ooit een kind had zitten studeren, een verroeste pan of ketel in een verwoeste keuken van een gezin, of de doffe koperen klok en stukken pleister van een beeld van een buurttempel. Maar los van deze kleine, nutteloze sporen van hun geschiedenis had de oorlog alle gebouwen tot dezelfde staat teruggebracht, dus wat voor werkelijk nut had het uitkammen van de ruïnes? Waarom zou je, behalve uit kinderlijke nieuwsgierigheid, de identiteit van de verwoeste constructies proberen te achterhalen, waarom, terwijl het veel beter geweest zou zijn om het puin te ruimen, alles wat nog overeind stond met de grond gelijk te maken en op die plekken volledig nieuwe dingen te bouwen die nodig waren voor de toekomst?

Maar als ze niet over hun verleden konden praten, waarover konden ze het dan met elkaar hebben, gegeven het feit dat ze ook geen toekomst hadden om over te praten?

Om hen heen ruisten de bladeren zachtjes en Dinesh keek weer naar Ganga. Ze had haar blik nog steeds omlaag gericht en het was onmogelijk om te zien of ze nog altijd geërgerd was. Zijn stem klonk zacht toen hij sprak.

Ben je blij dat we getrouwd zijn?

Hem aankijkend mompelde ze iets onverstaanbaars.

Als je dat graag wilt, zei hij, kunnen we later een echte bruiloft houden.

Ganga bleef nog een tijdje zwijgen en stond toen ineens op.

Heb je honger?

Dinesh keek haar ietwat verbaasd aan. De afgelopen paar dagen had hij nauwelijks gegeten, maar hij was gewend geraakt aan de honger en het was niet eens bij hem opgekomen om iets te eten te zoeken. Hij stond op, frunnikte aan zijn sarong, die tijdens het zitten was losgeraakt.

Ik moet rijst voor mijn vader koken, zei Ganga. Ik zal ook wat voor jou maken.

Dinesh glimlachte opgelaten, in verlegenheid gebracht door het aanbod.

Dat hoeft niet.

Het maakt niets uit.

Even dacht Dinesh na en knikte toen instemmend. Hij pakte de lichtbruine tas op en liep naar de rand van de open plek. Hij draaide zich om om zich ervan te vergewissen dat Ganga hem volgde, wachtte tot ze vlak achter hem was en liep toen het donker in van het kalm ruisende bladerdak. Hij begreep niet goed waarom ze had voorgesteld eten voor hem te maken. Hoogstwaarschijnlijk omdat ze, zoals ze had gezegd, voor haar vader moest koken, maar hij was ook bang dat ze misschien medelijden met hem had. Misschien trok ze uit het feit dat hij geen eigendommen bezat de conclusie dat hij geen geld voor eten had of misschien verried zijn magerte dat hij niet had gegeten. Misschien moest hij het eten dat ze hem aanbood weigeren, zeggen dat hij eerder op de dag had gegeten en geen honger had, maar bij het vooruitzicht aan eten wist hij nu niet zeker of hij daartoe in staat was. De laatste echte maaltijd had hij twee dagen geleden gehad, een paar handjes waterige rijst, gekregen van een oude vrouw die hij een maand of twee eerder had geholpen met het graven van een schuilgang. Toen hij door het kamp liep, had ze hem herkend en luid, bijna opgetogen naar hem geroepen. Het kostte Dinesh enige tijd om zich te herinneren wie ze was, want sinds die keer dat hij haar had geholpen, was ze herenigd met haar familie en haar gezicht was veel opgewekter en voller, minder star en verkrampt dan in zijn herinnering. Hij was veel dunner geworden sinds ze hem voor het laatst had gezien, zei de vrouw; ze trok hem omlaag bij zijn elleboog, zodat hij ging zitten, hij moest met hen mee-eten, zijn lichaam kon de energie beter gebruiken dan het hare. Ze nam uit de pan wat van de rijst die niet alleen voor haar bestemd was, maar ook voor haar dochter, schoonzoon en kleinkind, en diende hem die op op een opgevouwen stuk oude krant. Vanwege de voedselschaarste kostte een kilo rijst al bijna duizend roepies en de meeste vluchtelingen aten minder dan een maaltijd per dag. Niet op zijn gemak vanwege de gulheid van de vrouw en ook vanwege het gevoel dat haar schoonzoon en dochter hun beperkte voedselrantsoen liever niet met een vreemde hadden gedeeld, had hij snel gegeten en de rijst doorgeslikt zonder zich de gelegenheid te geven hem te proeven of in zijn mond te voelen, had haar bedankt en was vertrokken. De rest van de week had hij zich beperkt tot kaakjes uit een paar pakjes die hij met een deel van zijn laatste geld had gekocht. 's Ochtends at hij er twee, laat op de middag vier en 's avonds nogmaals vier; hij brak elk kaakje in twee of drie stukjes, die hij in een beetje water doopte waardoor ze zacht werden en meer smaak kregen. Hij nam alle tijd om elk stukje in zijn mond te kauwen tot een zachte brij voordat hij die doorslikte, maar omdat hij ze slechts in heel kleine hoeveelheden at, had hij de smaak niet ten volle kunnen waarderen.

Vanonder de bomen vandaan kwamen ze in het laatste late avondlicht en ze vervolgden in zuidwestelijke richting hun weg naar het kamp. Daar heerste nu veel minder bedrijvigheid dan eerder op de dag. Degenen die het zich konden veroorloven waren aan het koken of aten voedsel dat ze van het weinige dat nog circuleerde hadden gekocht en alle anderen zaten in stilte of trachtten te slapen tijdens de weinige uren die voor hen lagen voordat de nachtelijke beschietingen aanvingen. Terwijl ze langsliepen keek Dinesh naar hen, sommige gezichten zwak verlicht door kleine, discrete vuurtjes, de andere versluierd in de donkerblauwe avondlucht, en opnieuw viel het hem op dat bijna niemand in het kamp praatte. Een paar mannen en vrouwen fluisterden in zichzelf terwijl ze langzaam heen en weer wiegden, stilletjes lachten, huilden of vloekten, maar de overgrote meerderheid zweeg. Natuurlijk communiceerden de mensen in het kamp met elkaar, ze marchandeerden over voedsel en medicijnen, deelden nieuws over gevechten, informatie over vermiste mensen, maar dat betrof slechts praktische zaken, en als die uitgewisseld waren, verviel iedereen min of meer in zwijgen. Op

73

dergelijke momenten, als er niets dringends was, er geen familieleden gezocht of lichamen geborgen hoefden te worden, als men
de gevolgen van het laatste granaatvuur tot zich door had laten
dringen en er niets anders op zat dan op het volgende te wachten,
zaten de meesten gewoon en beidden hun tijd in stilte. Misschien
hadden ze geen zin om te praten. Misschien waren ze te moe of
met hun gedachten elders en wilden ze gewoon niet meer zeggen
dan nodig was. Het was hoe dan ook anders dan de gang van
zaken in het gewone leven, toen mensen in hun vrije tijd voortdurend met elkaar leken te praten. Familie kwam op bezoek om
te kletsen en te roddelen, schoolkinderen lachten en kibbelden
tussen de lessen door en tijdens de pauze. Klanten bleven in winkels en bij kramen napraten met de kooplui, op straat hielden
mensen halt om bekenden te begroeten. Ongetwijfeld bleven
mensen in het gewone leven langer praten dan schijnbaar nodig
of de bedoeling was, maar Dinesh had geen flauw idee waarover
ze zo lang praatten. Het was net of in zijn herinnering praten-
de mensen hun mond bewogen zonder dat er geluid uit kwam.
Hij snapte niet wat ze hadden kunnen zeggen, want waarover
hadden ze kunnen praten? Als de praktische zaken van het leven
afgehandeld waren, als je je zaken geregeld had, wat restte er dan
nog om over om te praten?

Het was uiteraard mogelijk dat mensen gewoon bleven praten omdat ze moesten, gewoon om het praten zelf. Misschien
deed het onderwerp van een gesprek er veel minder toe dan het
communiceren op zich, en als ze niets dringends of noodzake-
lijks te zeggen hadden, zochten ze gewoon iets waarover ze het
konden hebben, zodat ze konden blijven praten. Misschien was
de werkelijke reden dat in het gewone leven mensen steeds weer
op onderwerpen terugkwamen, zaken die hen interesseerden en
waarover ze wilden leren, alleen maar opdat ze genoeg stof had-

den om hen aan de praat te houden, wie kon het zeggen? Per slot van rekening kon je geen gesprek voeren tenzij je iets had om over te praten, zelfs als het praten op zich belangrijker was dan waarover er werd gepraat. En misschien zweeg daarom iedereen in het kamp, niet omdat ze niet wilden praten, maar omdat ze niets meer te zeggen hadden. Tenslotte was een conversatie iets delicaats, een plant die alleen op rijke, warme, voedzame bodem groeide. Net zoals de cellen van het menselijk lichaam niet boven of onder bepaalde temperaturen in leven konden blijven, het menselijk oog niet boven of onder een bepaalde elektromagnetische straling kon zien en menselijke oren niet boven of onder bepaalde gehoordrempels konden horen, zo bestond er misschien ook slechts een klein scala van voorwaarden waaronder een menselijk gesprek kon gedijen. Dus was het niet dat de mensen in het kamp niet wilden praten, want menselijke wezens wilden altijd praten, als ze de gelegenheid hadden. Conversatie was een onzichtbare draad die zich ontrolde en als een geluidsstroom in de lucht werd geslingerd, via de oren in de lichamen van andere mensen doordrong en van die mensen naar andere ging en van hen uit naar nog meer mensen. Gedachten, gevoelens en veronderstellingen, verhalen, grappen en roddels waren slechts dunne gesponnen draden die de mensen vanbinnen met elkaar verbonden, lang nadat ze uitgepraat waren en zo waren gemeenschappen niets anders dan mensen die op deze manier bijeengehouden werden, in grote, complexe, onzichtbare webben die niet dienden om beweging te beperken, maar om ieder individu met ieder ander te verbinden. Door de noodzaak tot een dergelijke verbinding zouden mensen altijd, als ze konden, een manier om te praten vinden. Dus de reden waarom de mensen in het kamp niet langer praatten was gewoon omdat er niets meer te zeggen viel en niet omdat ze niet meer wilden praten. De ragdunne draden die in het gewone leven zo gemakkelijk werden gesponnen, waren nu vergaan, er was niets meer om af te wikkelen, en stuk voor stuk moest iedereen in het kamp zwijgend in zijn eentje zitten, verzonken in zichzelf en op geen enkele manier in staat om verbinding te maken.

Ganga gebaarde Dinesh voor de tent te wachten en ging vervolgens alleen naar binnen met de tas. Enkele minuten later kwam ze naar buiten met in de ene arm een bundeltje takjes en twijgjes en in de andere een gedeukte metalen pan met een zwartgeblakerde bodem. In plaats van haar sari droeg ze nu de wijde katoenen jurk waarin Dinesh haar op andere dagen in de buurt van de kliniek had gezien, een verschoten roze jurk met geelbruine vlekken rond haar middel en aan de voorkant. Ze legde het hout in een kuil met as die vlak naast de tent was gegraven en zette de pan ernaast op de grond. Ze ging weer de tent in en kwam naar buiten met een plastic fles en twee volle plastic tassen, de ene ongeveer vier keer zo groot als de andere. Uit de grootste tas goot ze een aanzienlijke hoeveelheid rijst en uit de kleinste voorzichtig een handvol dahl, daarna liep ze met de fles in de richting van de dichtstbijzijnde pomp. Overdag waren de rijen voor water behoorlijk lang, maar die losten gewoonlijk laat op de avond op; de meeste mensen vulden immers al hun flessen vroeg om 's nachts niet hun tent en bunker te hoeven verlaten. Ganga kwam enkele minuten later met een volle fles terug; ze goot het water in de pan, waarbij ze haar wijs- en middelvingers als maat gebruikte om zeker te zijn dat het water het juiste niveau boven de rijst had. Uit de tent haalde ze een paar pagina's van een oude krant en een doos lucifers, en gehurkt naast de kuil scheurde ze het papier in repen en stukken en maakte er proppen van die ze in de openingen tussen het hout stopte. Ze streek een lucifer af, waarmee ze elke prop papier geduldig vlam wist te laten vatten

76

voordat hij tot haar vingers was afgebrand. Het papier krulde als het ontvlamde en algauw begon het hout te knisperen. De kleinste takjes vatten vlam en een paar begonnen te smeulen. Ganga schoof een beetje achteruit en keek toe hoe het vuur opflakkerde; haar lichaam was roerloos, haar wenkbrauwen diep gefronst in haar voorhoofd, één hand streek haar haar glad, de andere klemde zich vast om haar knie. Dinesh besefte dat er geen spoor van meneer Somasundaram was, hoewel er al twee uur verstreken waren sinds ze hem voor het laatst hadden gezien. De begrafenis van de Iyer had vast niet zo lang geduurd, als hij inderdaad terug was gegaan naar de kliniek om op alles toe te zien. Hij keek naar Ganga en aarzelde of hij het onderwerp te berde moest brengen of niet. Hij leunde voorover en zei uiteindelijk zachtjes:

Weet je waar je vader is? Moeten we hem gaan zoeken?

Ganga keek naar hem op. Dat is niet nodig, zei ze meteen. We moeten hier blijven. Hij zal nog wel bezig zijn met de begrafenis van de Iyer en dan zal het moeilijk zijn hem te vinden.

Ga je wel voor hem koken?

Ganga knikte. Hij zal het opeten als hij terugkomt.

Maar gaan we na het eten niet naar de open plek terug?

Ze schudde afwijzend haar hoofd. We moeten op de tent en alle spullen passen tot hij terugkomt. Bovendien zal mijn vader zich zorgen maken als hij ons dan niet hier aantreft.

Ze stond op en pakte twee dikkere stukken hout die ze tot dan apart had gelegd en legde die parallel over de kuil. Ze tilde de pan op en zette die zo op de houten steunen dat het oplaaiende vuur eronder rechtstreeks de bodem raakte.

Hoe lang denk je dat de begrafenis gaat duren? Er zijn al twee uur verstreken.

Dinesh wachtte op antwoord, maar Ganga bleef gewoon naar het vuur staren. Nu brandden de kleinere takjes, gloeiden even en werden zwart terwijl de uiteinden van de grotere vlam vatten. Uit de kuil vlogen vonken op voordat ze even verderop als vuurvliegjes stierven.

Maar ik ben bang dat we door de ronselaars opgemerkt zullen worden als we te lang in het kamp blijven. Daarom slaap ik in de jungle. Als ik hier blijf, zal een of andere jaloerse moeder me bij hen aangeven of ze zullen me zelf vinden en meenemen.

Ganga keek Dinesh even aan alsof hij haar iets volslagen nieuws in overweging gaf en wendde haar blik vervolgens weer naar de vlammen. Boven het wisselvallige geknetter van het vuur uit werd het gepruttel van het water in de pan langzaam hoorbaar, aanvankelijk zacht en vervolgens steeds duidelijker. Een tijdje luisterden ze hoe het geluid dieper en zwaarder werd, een herinnering aan iets wat nu ver weg was, maar desalniettemin voedzaam en veilig klonk. Ganga stond op om zich ervan te vergewissen dat het water kookte, zette het deksel op de pan, hurkte weer neer en staarde opnieuw naar het vuur. Ze keek enigszins ongemakkelijk, ongerust zelfs. Haar trekken leken de stijfheid of strakheid, waardoor ze tot dat moment geen enkel gevoel had kunnen uitdrukken, verloren te hebben zodat ze, een moment lang, naakt was. Toen ze besefte dat hij naar haar zat te kijken, sloeg ze haar blik neer en verborg zo haar gezicht.

Zo belangrijk is het niet, zei Dinesh. We kunnen hier blijven tot je vader terug is. Ik kan me zolang in de tent schuilhouden.

Nee, zei ze zonder op te kijken. Je hebt gelijk. We kunnen beter naar de open plek gaan. Ik zet het eten van mijn vader in de tent; dan kan hij het later eten. Morgenochtend kan ik met hem praten.

Tien, vijftien minuten zaten ze zwijgend te luisteren naar de pruttelende pan en ten slotte stond Ganga nog steeds zonder iets te zeggen op. Voorzichtig pakte ze de pan bij de randen, nam hem snel van het vuur en met behulp van het deksel om het afgieten te controleren goot ze het weinige overtollige schuimige water op de grond. Ze zette de pan terug op het vuur, ging de tent in, kwam naar buiten met drie borden, een opscheplepel en een plastic zak. Uit de zak strooide ze wat witte poeder, waarschijnlijk zout, over de rijst en begon vervolgens op een merkwaardig energieke manier met de lepel door de rijst en de dahl te roeren. Dinesh voelde zich niet erg op zijn gemak, maar hij wist niet wat hij kon zeggen. Toen hij eindelijk, meende hij, een natuurlijke, spontane opmerking had bedacht, had hij zich niet kunnen inhouden, maar bij nader inzien had hij veel beter haar vader helemaal niet ter sprake kunnen brengen. Hij had geen idee of Ganga wel of niet besefte dat hij niet terug zou komen, maar ze zou het hoe dan ook inzien als ze daaraan toe was en het was onnodig haar daarmee lastig te vallen. Hij dacht aan lang geleden toen hij een kind was en ergens in een veld omhoog naar de hemel lag te staren, daarna op zijn buik rolde en ontdekte dat op de grond waarop hij lag tussen het gras verscholen kleine toefjes kruidje-roer-me-niet groeiden. Enkele tere groene blaadjes die zijn lichaam op de een of andere manier niet geraakt had, waren nog open, elk nauwelijks een millimeter breed, maar de meeste blaadjes hadden zich stijf om hun hoofdnerf gevouwen om zichzelf tegen zijn lichaam te beschermen en alleen hun ruwe bruine onderkant onbeschut gelaten. Hij was meteen op zijn knieën gaan zitten en zich over hen heen buigend, in een hoek om niet het warme zonlicht tegen te houden, probeerde hij te zien of er een manier was om ze zich weer te laten ontvouwen. Hij wist dat kruidjes-roer-me-niet zich bij de lichtste aanraking heel klein maakten als werden ze zwaar gemarteld, maar hij had geen idee hoe lang het duurde voor de blaadjes zich weer openden. Hij had ze, als hij dat had gewild, met geweld kunnen openvouwen maar door haar enige manier van zelfverdediging, al was het voor haar eigen bestwil, te ondermijnen zou de plant zich nog meer geschonden voelen dan ervoor. Hij kon slechts geduldig zijn, wachten tot de kruidjes-roer-me-niet zich vanzelf weer zouden ontvouwen. Of dat na minuten, uren, of dagen zou gebeuren wist hij niet, maar als ze zich weer openstelden voor de atmosfeer zou hij, beloofde hij zichzelf, voorzichtiger zijn, ervoor zorgen dat hij voor hen even zacht en licht was als het waas van een ademtocht.

Toen de rijst en de dahl klaar waren, haalde Ganga de pan van het vuur en schepte een kleine hoeveelheid van het mengsel, nauwelijks een maaltijd te noemen, op een bord voor haar vader, mocht hij echt terugkomen om te eten. Ze zette het bord in de tent vlak achter de losse flap die als ingang van de tent diende, als een priester die een offerande van voedsel achterlaat aan de voeten van een godin, sloot de ingang zorgvuldig en overhandigde de fles water aan Dinesh zodat hij zijn handen kon wassen. Terwijl zij hem een bord opschepte, goot Dinesh over elke hand apart water en wreef zijn vingers schoon; vervolgens ging hij met gekruiste benen zitten waar zij zijn bord had neergezet. Opkijkend vroeg hij haar om naast hem te komen zitten, maar hoofdschuddend bleef ze staan en gebaarde dat zij zou gaan eten als hij was begonnen. Dinesh keek omlaag naar het dampende voedsel. Het was lang geleden dat hij van een bord had gegeten en hij voelde zich een beetje zenuwachtig om te eten onder Ganga's toeziende blik. Hij bestudeerde zijn rechterhand alsof hij zijn vier vingers en duim voor het eerst zag, bracht ze vervolgens bijeen, duwde ze in het nog steeds gloeiend hete mengsel van rijst en dahl en begon dat om te roeren om de hitte te laten ontsnappen. Zijn vingers in de rijst voelden na zo'n lange tijd vreemd aan, de zachte, vochtige korrels tussen zijn vingers helemaal tot aan de rand van de handpalm. Het was een vreemde gedachte dat zijn rechterhand ook diende om mee te eten, dat hij op het punt stond met deze hand iets in zijn mond te stoppen. Toen de rijst volledig vermengd was met de dahl, nam hij voorzichtig een klein beetje tussen zijn vingers, aarzelde even en bracht dat toen naar zijn lippen. Hij opende zijn mond en schoof het erin.

Het eten was heet in zijn mond en terwijl hij het met zijn tong heen en weer rolde, genoot hij van de textuur en de smaak van de zachte korrels; in zijn mond verdeelde hij de rijst met zijn tong in aparte porties die hij vervolgens weer tot een enkele massa bij elkaar duwde. Zijn kaken bewogen vanzelf en zijn kiezen vermaalden de korrels, maakten van de losse korrels een zacht warm geheel dat langzaam zijn weg naar achter in zijn mond vond en dan werd ingeslikt, iets wat hij zich pas realiseerde toen hij een warme substantie door zijn keel voelde glijden, langs zijn uitstekende adamsappel, omlaag naar zijn slokdarm. Even, als van verbazing, zat hij roerloos, verzamelde toen de paar rijstkorrels die aan de binnenkant van zijn wangen waren achtergebleven en slikte ook die door. Hij ging met zijn tong over het gevoelige oppervlak van zijn tanden en tandvlees, die hij nu als voor de eerste keer voelde, keek omlaag naar zijn met rijst bespikkelde vingers en bracht die opnieuw naar het voedsel op zijn bord. Hij nam opnieuw een hapje, bracht dat naar zijn mond, kauwde het en slikte opnieuw door. Na enkele happen begon zijn maag te branden, waarschijnlijk omdat het zo lang geleden was dat hij zoveel voedsel achter elkaar had gegeten, maar hij bleef hand na hand naar zijn mond brengen, vermaalde het, slikte langzaam en zorgvuldig in de wetenschap dat de pijn weldra zou afnemen als hij maar bleef eten. Langzaamaan hervond hij het eetritme: hij kreeg weer grip op de juiste timing van elk opeenvolgend onderdeel, kauwde wat in zijn mond was net zo lang als het duurde voor hij een nieuw hapje rijst had gepakt en slikte de hap in zijn mond door in de tijd die het duurde om de nieuwe hap naar zijn lippen te brengen. De hoeveelheid rijst en dahl op zijn bord minderde gestaag, maar voordat die op was, pakte Ganga het bord weg van Dinesh, schepte het vol met meer rijst en dahl uit de pan en zette het bord weer voor hem op de grond. Op een ander bord schepte ze wat van het mengsel en ging toen een klein eindje van hem vandaan zitten. Beiden aten nu, gebogen over hun borden, langzaam en rustig, ieder van hen volledig opgaand in het ritme van het eten.

De lucht was volledig donker geworden en er was geen spoor meer van de dag. Weldra zouden de nachtelijke beschietingen beginnen, over een of over een paar uur, dat was niet te voorspellen. Ze schraapten het laatste voedsel van hun borden zodat er niets anders te zien was dan vochtig roestvrij staal en nog lange tijd nadat ze klaar waren met eten zaten beiden roerloos. Niet ver van hen vandaan, westelijk vanwaar ze zaten, steeg in het donker een luid, aanhoudend gejammer op. Aanvankelijk klonk het alsof een gewonde was ontwaakt uit een bewusteloze slaap en gedwongen werd tot een bewuste confrontatie met zijn pijn, maar toen ze langer naar de krachtige, gekrenkte stem luisterden, leek deze niet toe te behoren aan een gewonde, maar eerder aan een gezond iemand die zojuist was getroffen. En zoals je je, na het zien van een enkele stralende ster aan een eerder dof uitziende hemel, bewust wordt van het zwakke schijnsel van de kleinere, tot dan toe onzichtbare sterren, zo hoorden ze hiernaar luisterend ook hoe ontelbare andere stemmen op verschillende punten in het kamp zich verhieven, huilden, klaagden en jammerden. Ze klonken op en stierven weg als verre ambulancesirenes, sommige stemmen vielen weg als hun eigenaars weer hun bewustzijn verloren, andere voegden zich bij het koor als hun eigenaars bij bewustzijn kwamen. Ganga stond langzaam op, pakte hun lege borden en de pan en liep naar de pomp. Overeind komend likte Dinesh de laatste korrels van zijn vingertoppen. Hij waste zijn handen nog een keer met water uit de fles en besefte dat het nu tijd was om hun eerste nacht samen door te brengen.

4

BIJ HET UITBREKEN van de gevechten hadden ook Dinesh en
zijn moeder, net als alle anderen, hun bezittingen gepakt en meegenomen toen ze hun huis verlieten. Twee of drie dagen stroomden mensen bijna onafgebroken uit de hele omgeving toe en toen
de beweging via de geluidsinstallatie van het dorp haar evacua-
tiebevel had gegeven, waren de geluiden van de beschietingen
al in de verte te horen: zware explosies die zich breeduit voort-
plantten. De laatste avond probeerden ze met twee gezinnen uit
de buurt een tractor te vinden die ze voor de reis konden huren
en bleven verder de hele nacht op om koortsachtig in te pakken.
Dinesh wist niet meer precies wat ze besloten hadden mee te nemen, maar hij herinnerde zich nog wel de voldoening bij het zien
van het bijna lege huis, toen ze uiteindelijk klaar waren, de aangename gedachte dat ze hun spullen wat er ook gebeurde veilig
bij zich hadden terwijl ze dieper het land in trokken. Het was nog
geen licht en ze hadden nauwelijks een moment gehad om na te
denken over wat er aan de hand was, maar ze hesen zich achter op
de tractor, waar ze met veel moeite een plekje vonden tussen alle
los opgeladen meubels en bezittingen. De dunne ijzeren wanden
van de kar schokten toen de motor aansloeg en ze keken bijna

nieuwsgierig toe toen hun kalme rustige weg langzaam uit het zicht verdween, alsof ze op een niet voorgenomen maar daarom nog geen onaangename vakantie gingen. Ze waren te uitgeput van de nachtelijke werkzaamheden en hadden te weinig slaap gehad om zich veel zorgen te maken over de situatie en aangezien ze trouwens verschillende keren in het verleden gedwongen hun huis hadden verlaten, was deze evacuatie niet bepaald nieuw. Waarschijnlijk zouden ze over een paar weken, hooguit een maand weer terugkomen. Het dorp liep een kleine kans tijdens hun afwezigheid onder vuur genomen te worden, er zouden misschien zelfs enkele granaten vallen, maar heel waarschijnlijk zouden ze hun huis bij terugkomst intact aantreffen.

Pas toen ze de hoofdweg bereikten en zich na een tijdje bij de lange, ongeordende stoet vluchtelingen voegden, van wie sommige al meerdere dagen onderweg waren en andere net als zij nog maar pas hun huis hadden verlaten, werd het duidelijk dat deze evacuatie enigszins verderging dan de voorgaande die ze hadden meegemaakt. Niet alleen hun dorp, maar kennelijk het volledige zuidelijke gedeelte van hun district was geëvacueerd en dat gold kennelijk ook voor de dorpen in de gehele zuidoosthoek van het territorium van de beweging. Natuurlijk was dat reden tot enige verbazing, maar uiteindelijk zei niemand er iets van, want waarschijnlijk was het niet de moeite waard je er te veel zorgen over te maken en had de beweging gewoon besloten ditmaal meer voorzorgsmaatregelen te nemen dan gewoonlijk. Ze gingen de hele dag met de stoet mee in noordoostelijke richting, tot ze ten slotte halt hielden bij een kamp vol vluchtelingen. Het was moeilijk precies te zeggen hoeveel mensen daar waren, maar het was een groter kamp dan alle andere waar ze bij vorige evacuaties waren ondergebracht. Daar bleven ze drie weken, tot de vuurgevechten weer dichterbij kwamen en de beweging hen verordende hun spullen te pakken en naar een ander kamp te trekken, iets verder het land in. Op de nieuwe plek bleven ze weer drie weken, trokken daarvandaan naar weer een andere plek en daarvandaan naar nog weer andere plekken, terwijl de duur van hun verblijf van drie weken inkortte tot twee weken tot tien dagen tot nog minder, tot ze langzaamaan meer tijd onderweg waren dan op een vaste plaats verbleven. Hun tempo werd vertraagd door de duizenden nieuwe vluchtelingen die zich bij de stoet voegden vanuit elke stad en elk dorp dat ze passeerden en bij elk transport werden de beschietingen achter hen luider, maar dit noch een van de andere patronen die zich leken te herhalen waren aanleiding tot discussie of zelfs klachten, want kennelijk wisten ze niet alles wat de beweging van de situatie wist en het had geen zin om enkel uit gebrek aan informatie angstige conclusies te trekken. Met hun tentdoeken als bescherming tegen de zon zaten Dinesh en zijn moeder in ongemakkelijk zwijgen in de wagen terwijl de tractor stapvoets over de drukke koperkleurige wegen vooruitging, eerst in noordoostelijke richting, daarna hoofdzakelijk oostwaarts, door woestijnachtige en met kreupelhout begroeide gebieden onder de eindeloze, bijna withete hemel. Soms ging de weg dwars door stukken jungle, waar hun ogen zich laafden aan donkergroen en bruin, waar bomen aan weerskanten van de weg hun lange, bladerrijke takken boven hun hoofden verstrengelden en zo een afdak vormden dat alleen koele spikkels zonlicht doorliet, maar vroeg of laat kwamen ze altijd weer uit deze beschutting in land dat zich heet en droog uitstrekte, waar urenlang niets hun voortgang markeerde behalve hier en daar een checkpoint, dat steeds schaarser bemand was en de suikerpalmen die zich nog steeds in de verte verhieven.

Ook de andere vluchtelingen kwamen met hun bezittingen, in vrachtauto's, tractoren en ossenwagens die ze tot de rand hadden gevuld. Meubilair van plastic en hout, televisies en naaimachines, fietsen en motorfietsen, planten in potten, kleden, bezems, huisdieren, kippen, speelgoed, alles waar ze plek voor vonden. Hoe dichtbij de bombardementen ook waren, voor de meeste mensen was de mogelijkheid zich van deze spullen te ontdoen onacceptabel, zelfs niet wanneer het fluiten van de snel vallende granaten voordat ze ontploften achter hen al te horen was, en zelfs niet als deze lukraak hier en daar op de weg neerkwamen. Weliswaar had niemand verwacht zo lang onderweg te zullen zijn, kon niemand zich herinneren dat de beweging eerder zoveel terrein had verloren, maar het zou vast slechts een kwestie van dagen zijn voordat het leger werd teruggedreven, voordat ze allemaal weer terug naar huis mochten met alle meegebrachte spullen. Daarom klampten ze zich onverbiddelijk vast aan elk stuk eigendom, gebruikten ze petroleum als brandstof toen de diesel schaars werd, manoeuvreerden ze langs verkoolde lichamen en wagens, zetten door totdat ten slotte de hemel betrok en het hevig en onophoudelijk begon te regenen. Alles wat op tractoren en open wagens werd vervoerd raakte doorweekt, ook de elektronische spullen die ze met zeildoek hadden proberen af te dekken. De onverharde wegen werden zacht en modderig, de gaten werden dieper, liepen vol en vormden zo diepe putten met bruin water die niet te onderscheiden waren van plassen. Al snel werd elke weg geblokkeerd door tractoren en vrachtwagens die ofwel verwoest waren door bombardementen of vastgelopen in de modder. Teneinde verder te trekken waren de mensen genoodzaakt hun wagens achter te laten en daarmee al hun bezittingen die ze zo ver en tot elke prijs hadden meegenomen. In verschillende staten van ongeloof kookten ze hun kippen en gooiden ze de kooien weg, ze stapelden zo veel mogelijk op motorfietsen of in tuktuks en gingen zo snel als ze konden verder. Toen deze voertuigen bij gebrek aan brandstof ook achtergelaten moesten worden, namen ze uit hun tassen dat wat ze over hun schouders of in de hand konden dragen, geld en juwelen, documenten en ID's, foto's, medicijnen, voedsel en keukengerei, niemand wist precies wat het belangrijkste was en van welke dingen die ze achterlieten ze spijt zouden krijgen. Sommige mensen trokken hun mooie kleren aan in plaats van ze wegens plaatsgebrek weg te gooien en zo zag je soms, te midden van eindeloze stromen mensen die zonder op of om te kijken lichamen en langs de modderige wegen achtergelaten bezittingen passeerden, af en toe vrouwen sjokken in vrolijke, kleurrijke sari's, groen, goud en karmozijn, alsof ze terugkeerden van een bruiloft of feestelijke gelegenheid die niet volgens plan was verlopen.

Degenen die zich hadden vastgeklampt aan hun laatste tassen en ransels tot ze in het kamp waren aangekomen, lieten die zo te zien niet meer los. Dag en nacht hielden ze die bij zich en verloren ze zelfs niet uit het oog als ze naar de wc moesten. Niet dat de spullen riskeerden gestolen te worden, want in de geldende omstandigheden behielden maar weinig dingen die meegebracht waren hun waarde, maar desalniettemin hielden ze zich er stevig aan vast, alsof ze anders zouden opstijgen en wegvliegen, alsof hun bezittingen, ongeacht waartoe ze voordien hadden gediend, nu als presse-papiers functioneerden. Natuurlijk was iedereen aan het begin van hun tocht genoodzaakt geweest dingen achter te laten. Sommige mensen, die te overhaast hadden moeten vertrekken of niet in staat waren geweest transport te vinden of te bekostigen, hadden bijna alles moeten achterlaten. Waarschijnlijk was het hun zwaar gevallen om hun bezittingen in de steek te moeten laten, om voortdurend in onzekerheid te verkeren of hun spullen misschien geplunderd waren, maar ongetwijfeld hadden ze de waardevolste dingen verstopt in verborgen hoekjes en spleten van hun huis en bij nader inzien moest het een aangename gedachte zijn dat deze voorwerpen waarschijnlijk nog veilig waren. Na zoveel maanden en op zoveel kilometer van hun huis en dorp was het vast en zeker een bevredigende gedachte dat ze, ook al was alles wat ze hadden meegenomen weg of vernietigd, ergens in de wereld nog iets bezaten, concrete voorwerpen die hun huis als het hunne kenmerkten, ongeacht hoe lang ze weg waren geweest of wie er in de tussentijd bezit van had genomen, voorwerpen die onveranderlijk bleven ook als hun eigenaars, getroffen door granaten, hun gevoel en geheugen verloren.

Dinesh zou nu niet meer weten waar zijn moeder en hij zich precies bevonden toen ze hun tractor moesten achterlaten, maar waarschijnlijk was het eind oktober of november geweest, kort voordat de strijd om de hoofdstad van de beweging begon. Sinds enige tijd begon hun geld op te raken, maar ze waren erin geslaagd de tractor te behouden tot ze het huis van een verre verwant hadden bereikt in de hoop hun spullen daarbinnen achter te laten in plaats van langs de weg zoals andere mensen deden. Ze troffen het huis dichtgespijkerd en afgesloten aan, waarschijnlijk was het net een paar dagen eerder verlaten, en ze hadden geen andere keus dan alles op het stukje gras voor het huis achter te laten. Wetend dat ze hun achtergelaten spullen hoogstwaarschijnlijk nooit meer terug zouden zien stopten ze wat ze nodig zouden hebben haastig in twee tassen en vervolgden de tocht te voet, liepen, stopten om te rusten en liepen weer verder als ze door de beschietingen werden ingehaald. Zo ging het enkele weken, misschien wel een maand door, ze kwamen langzaam vooruit, omdat zijn moeder de kracht miste om grote afstanden achtereen te lopen en alle tegenstrijdige informatie hen deed aarzelen, tot uiteindelijk ook de twee laatste tassen achtergelaten moesten worden. Het was vroeg in de ochtend aan de rand van een dorp waar ze gestopt waren om de nacht door te brengen. Niet ver daarvandaan klonk een zware dreun en toen uit dezelfde richting luid geratel. De stilte hierna, waarin ze, in onwetendheid over wat ze konden verwachten, niets deden werd bijna een minuut later opgevolgd door kleine, krachtige knallen. Ze klonken gelijktijdig en in lukrake richtingen, elke knal geconcentreerd en afzonderlijk, alsof er een enorme zak knikkers werd uitgestort op een cementen vloer. Onmiddellijk begrijpend dat er geen moment van rust zou zijn om over de situatie na te denken, pakten ze hun spullen bij elkaar en begaven ze zich naar de grote weg. Nog maar net hadden ze zich bij de andere families gevoegd die haastig opdoken of ze hoorden tegen de achtergrond van het lawaai van knallen en geschreeuw weer een dreun en weer geratel. Ze bleven doorlopen, tot Dinesh achter zich een korte zucht hoorde, omkeek en zag dat zijn moeder een paar meter terug op de grond in elkaar was gezakt.

Hij kon zich niet meer herinneren wat er onmiddellijk daarna was gebeurd. Wat er door hem heen was gegaan en wat hij had gedaan, of hij had geschreeuwd of gehuild, of gewoon stil was blijven staan, hij kon het onmogelijk zeggen. Misschien was alles zo snel gebeurd dat hij er geen aandacht aan had geschonken of misschien had zijn geheugen dat moment vervolgens uitgewist om te voorkomen dat hij er in de toekomst bij stil moest staan. Misschien worden op dergelijke momenten iemands handelingen slechts bepaald door de onbewuste bewegingen van zijn armen en benen, door reflexen waar niet over nagedacht is, maar die, zonder dat de persoon daar weet van heeft, kalm en nauwkeurig in hun spieren en zenuwen zijn voorbereid zodat ze, als het moment daar is, automatisch en zonder enige aarzeling geactiveerd worden en daarom daarna niet meer herinnerd kunnen worden. Bovendien had Dinesh op dat moment al zoveel dode en gewonde lichamen gezien, her en der verspreid langs de weg, of liggend in verwoeste hutten en huizen. Hij had altijd zijn best gedaan zich niet te laten afleiden, strak voor zich uit te blijven kijken en door te lopen, maar natuurlijk hadden zijn ogen en oren tegen die tijd voldoende opgenomen om te weten dat gewoonlijk, op zulke momenten als er overal bommen vielen en halt houden of langzamer gaan lopen slechts de dood tot gevolg kon hebben, er geen tijd was om te blijven staan om te rouwen of op een fatsoenlijke manier de dode te begraven. Ongetwijfeld had zijn lichaam op z'n minst geleerd dat je bij die gelegenheden de doden gewoon moest achterlaten, soms zelfs de gewonden, ongeacht de twijfels die je daarbij voelde, als je bij die gelegenheden überhaupt nog gevoelens kon hebben.

Alles wat Dinesh zich enigszins helder kon herinneren was dat hij even later, misschien enkele minuten, misschien een halfuur, terwijl hij met hun beide tassen dezelfde kant uit rende als alle anderen en er rondom hem heen nog steeds explosies plaatsvonden, ineens had bedacht dat het iets ongepasts had dat hij de tassen meenam terwijl zijn moeder daar onbeschermd op de grond lag. Terwijl hij bleef rennen werden zijn benen slap en werd hij bevangen door een vreemd gevoel van gewichtloosheid en naaktheid, vooral in zijn borststreek, alsof zijn warme, levende hart uit de veilige ribbenkast was uitgerukt en daar ergens op de stoffige, winderige, meedogenloze grond onzeker lag te kloppen. Even bleef hij te midden van de chaos op de weg staan, niet wetend wat te doen, toen draaide hij zich om en begon terug te rennen, de mensen die over de weg renden die hij zojuist had afgelegd opzij duwend. Het lichaam lag waar hij het min of meer had verwacht, een grote, donkere vormeloze figuur op de grond. Hij hoefde niet te kijken om te weten dat het zijn moeder was en met afgewende blik trok hij een sari uit een van de tassen en legde die snel over haar heen, zodat het volledige lichaam, huid en haren, goed bedekt en geen vinger, teen of haarlok zichtbaar was. Hij zette de twee tassen zorgvuldig aan weerszijden van het onvervoerbare lichaam en stopte de randen van de sari er stevig onder, zodat die niet door de wind konden opwaaien. Hij nam uit de tas slechts het geld dat nog over was, stond op en begon weer, zonder achterom te kijken achter de anderen aan te rennen. Hij had nog steeds dat vreemde lege gevoel in zijn borst, maar de gedachte dat de tassen naast zijn moeder haar zouden beschermen en haar ook een zekere identiteit verleenden stelde hem nu enigszins gerust. Hij wist dat de tassen binnen de kortste keren geplunderd zouden worden, maar het was een troostrijke gedachte dat ze tenminste een tijdje niet alleen was.

Sinds dat moment waren de enige bezittingen die Dinesh bij zich droeg kleine voorwerpen die hij hier en daar vond en die zijn medelijden wekten. Een blauwe balpen die niet meer schreef, een roestvrijstalen kopje of een oude gele tandenborstel zonder haren, allemaal spullen die door andere vluchtelingen waren weggegooid of achtergelaten en die volgens hem gezelschap nodig hadden. Hij raapte ze op, hield ze een tijdje vast, tastte ze voorzichtig en bedachtzaam af met zijn vingers, zoals een blinde man een onbekend, ineens in zijn handen gelegd voorwerp zou aftasten, gewoonlijk om ze na enkele dagen alweer achter te laten, soms per ongeluk, soms opzettelijk. Het voorwerp dat hij het langst bij zich hield had hij op een dag gevonden toen hij over een verlaten weg tussen twee kleine dorpen liep. Voor hem in de rode aarde lag iets half begraven, het zichtbare gedeelte besmeurd met viezigheid op een klein stukje na dat dof glom. Hij bleef ervoor staan, hurkte en veegde een beetje vuil weg. Dat zat aangekoekt, en dus maakte hij zijn duim met een beetje speeksel nat en wreef zo hard dat het vuil zacht werd en het gele metaal eronder erdoorheen begon te glimmen. Hij haalde zijn handen weg en bekeek het voorwerp een tijdje. Terwijl hij de grond eromheen eerbiedig met zijn vingers aftekende als voor een aanwijzing, maar niet in staat te raden wat het kon zijn, gaf hij ten slotte toe aan zijn verlangen het uit de grond te halen. Met enig wrikken kwam het los, een gebeeldhouwd stuk massief brons ter grootte van een kindervuist, van een halve kilo, misschien iets meer. Het leek op een deurknop, al was het afgerond zoals een houten ladeknop en niet langwerpig zoals een normale kunststof of ijzeren deurkruk. Dinesh staarde er een tijdje naar, pakte het op, ging staan en liep door. Van tijd tot tijd bevochtigde hij zijn vingertoppen met spuug om het oppervlak op te poetsen, en hij genoot van het gewicht als hij het van de ene in de andere hand liet vallen. Meer dan twee weken lang droeg hij het overal met zich mee; als hij zijn handen moest gebruiken, stopte hij het in zijn hemdzak en op een rustig moment erna, soms meerdere uren later, dacht hij er ineens weer aan, verbaasd, als aan een vriend van wie hij was vergeten dat die thuis op hem zat te wachten. Als hij zat of lag, drukte hij het koele voorwerp tegen de hete huid van zijn gezicht, drukte het zachtjes tegen zijn vermoeide ogen en voelde hoe de bloedvaten in zijn oogleden klopten tegen het brons. Af en toe kneep hij erin met zijn handen als om een afdruk achter te laten in het ondoordringbare oppervlak en elke keer weer verbaasde hij zich over de compactheid, de schijnbare kracht en duurzaamheid. Hij raakte steeds meer gehecht aan de deurknop en vanuit een langzaam toenemende angst dat hij zijn makker zou verliezen of zou moeten achterlaten, besloot hij die eventualiteit voor te zijn door er voor eens en voor altijd afscheid van te nemen. Op een middag wikkelde hij de deurknop zorgvuldig in een plastic zak, groef een gat naast een boom waar de aarde bijzonder zacht was, en stopte hem zo in de grond dat hij er comfortabel bij lag. Hij vulde het gat op en vervolgde enigszins neerslachtig zijn weg.

Het was vreemd nu aan die deurknop te denken, die ergens veilig onder de grond begraven lag terwijl hij zich op een volslagen andere plek boven de grond bevond. Maar het pad dat hij de afgelopen maanden had afgelegd was niet alleen de stortplaats van de deurknop, maar ook van alle andere dingen die hij had gevonden, korte tijd had verzorgd en weer achtergelaten. Hij had een spoor nagelaten dat hem, als hij dat wilde, terug naar zijn moeder kon voeren, ook al kon hij zich bewust heel weinig herinneren van de weg die hij had afgelegd. Het was alsof er van al zijn omzwervingen over de aarde een spoor was uitgezet, een verslag van al de plekken waar hij was geweest en misschien zelfs van wat hij had gedaan, dat niet alleen leidde vanwaar hij nu was naar zijn moeder, maar ook, uiteindelijk terug naar het dorp waar de evacuatie was begonnen. Misschien zou het spoor nadat hij was gestorven voortbestaan als een blijvende markering van de weg die hij had afgelegd of misschien, bij nader inzien eigenlijk wel zo waarschijnlijk, spoedig verdwijnen. Misschien waren alle dingen die hij had gevonden door anderen achtergelaten die ze vóór hem hier en daar hadden gevonden, mensen als hij die zich er een tijdje over hadden ontfermd voordat ze die dingen weer achterlieten en als dat zo was zou alles weer opgepakt worden door hen die na hem kwamen, en ten slotte ver vanwaar hij het had achtergelaten gedeponeerd worden, zoals een schelp door de beweging van achtereenvolgende golven steeds verder langs de kust werd gestuwd. Je kon er niets over zeggen, maar misschien waren de voorwerpen die hij onder zijn hoede had gehad al verspreid, zodat er geen duidelijke lijn meer getrokken kon worden van zijn moeder en zijn huis naar hem. Misschien was zijn spoor zo innig verstrengeld met de sporen van de mensen voor en na hem dat zijn spoor onmogelijk nog van het hunne en daarom in zekere zin hij ook niet van hen te onderscheiden was.

Opzij van hem klonk gemurmel en Dinesh ging rechtop zitten. Ganga ging een beetje op het bed verliggen en nu lag ze op haar rug in plaats van met haar gezicht naar de rots, één arm over haar borst en de andere uitgestrekt weg van haar lichaam. Dinesh bleef een moment roerloos, uit angst haar bij het minste geluid te wekken, maar Ganga bleef in de nieuwe houding liggen en blij dat ze nog diep in slaap was ontspande hij zich. Hij had geen idee hoe lang hij daar in het donker had gezeten. Misschien een uur, misschien zelfs langer, in gedachten verzonken, onwillekeurig heen en weer wiegend op het zachte, regelmatige ritme van Ganga's ademhaling. Al die tijd waren ze zij aan zij geweest, zij liggend met haar hoofd op één kant van het aarden kussen en hij zittend aan de andere kant. Maar gehypnotiseerd door het zachte, gelijkmatige geluid van haar op- en neergaande borst, van lucht die haar lichaam in ging en verliet als golven die rustig aanrollen en terugstromen, was hij vergeten dat hij naar een levend wezen luisterde en niet zomaar een levend wezen, maar zijn vrouw. Hij boog zich behoedzaam over het kussen en staarde naar Ganga's in het donker oplichtende gezicht. Haar mond hing enigszins open en haar gezicht was ontspannen, ontdaan van alle spanning waardoor het overdag strak stond. Haar lippen murmelden zachtjes woorden waar hij niets uit kon opmaken en onder haar oogleden leken vreemde beelden op te flakkeren en uit te doven. Ze leek te dromen, te zweven of te vallen in een wereld die zich volledig binnen in haar afspeelde. Dinesh had geen idee wat voor wereld dat was en het was overbodig te zeggen dat hij geen toegang had tot wat ze droomde, maar het feit dat haar kalme, roerloze lichaam een dergelijke wereld in stand kon houden vervulde hem desalniettemin met een vreemde eerbied.

Hoe Ganga nu over het huwelijk dacht, of ze nog altijd bezwaren had of dat haar gevoelens waren veranderd nu ze een tijdje met hem had doorgebracht, kon hij natuurlijk niet weten. Het was waar dat, tijdens het koken van het avondeten, het idee de tent van haar vader te verlaten haar niet had gezind, maar tegen de tijd dat ze klaar waren met eten was er iets in haar veranderd en de gedachte weg te gaan naar de open plek leek haar niet langer tegen te staan. De bezorgdheid die eerder op haar gezicht te zien was geweest was verdwenen en in tegenstelling tot hun eerdere ondoorgrondelijkheid leken haar trekken nu zachter en minder star, alsof ze intussen op de een of andere manier positiever tegenover het huwelijk stond. Alsof ze blijvend en niet tijdelijk van verblijfplaats veranderden, had ze besloten dat ze niet alleen de lichtbruine tas die hun vader hun had gegeven moesten meenemen, maar ook het kookgerei, de zakken rijst en de dahl. Ze had zelfs het voor de ingang van de tent waarin de familie had gewoond uitgespreide zeildoek opgevouwen en alleen de sari die erbovenop had gelegen achtergelaten, vermoedelijk opdat de tent er niet verlaten zou uitzien als ze wegingen. Toen ze alles verzameld hadden, zij de pannen, borden, voedsel en lepel, hij de tas en het opgerolde zeil, gebaarde ze hem dat hij voor moest gaan naar de open plek als om duidelijk te maken dat ze vanwege hem vertrok. Zwijgend en zo onopvallend mogelijk liepen ze door het kamp, hij voorop. Ze liepen, zonder zich daarvoor bewust in te spannen, in hetzelfde tempo, tilden hun voeten op en brachten die op dezelfde maat en in dezelfde cadans naar voren en geen van beiden hoefde voor de ander zijn pas te versnellen of te vertragen. Aangekomen bij de open plek zetten ze de spullen stilletjes neer, ervoor zorgend de rust van de plek niet te verstoren. Met een korte blik naar hem als pretendeerde ze om toestemming te vragen, pakte Ganga het zeil op en rolde het uit over de vochtige plek voor de rots. Van boven uit de lichtbruine tas pakte ze een sari die van haar of van haar moeder was, vouwde die dubbel, omdat hij te groot was voor het bed, sloeg hem uit in de lucht als was het een echt beddenlaken en spreidde het uit over het zeil. De vouwen en kreukels gladstrijkend trok ze de sari zo strak mogelijk over het zeil, vervolgens beklopte ze hem om er zeker van te zijn dat hij glad en droog was. Ze zette haar slippers netjes aan de rand van het bed, gaapte zachtjes en ging liggen met haar gezicht naar de rots. Dinesh had gehoopt dat de geeuw een manier was om mede te delen dat ze samen konden gaan liggen in plaats van rechtop te zitten, en niet dat ze moe was en wilde slapen, maar voordat hij had kunnen besluiten hoe de situatie aan te pakken, had zij zich al opgerold en kon hij aan haar zachte, regelmatige ademhaling horen dat ze sliep.

Misschien was ze gewoon moe geweest. Misschien was ze van streek over de verdwijning van haar vader en wilde ze alleen maar gaan liggen om er in stilte over na te denken. Echt zeker kon hij er niet van zijn, maar Dinesh begreep dat hij er niet te veel achter moest zoeken. Nu ze sliep had hij eindelijk de gelegenheid haar ongehinderd goed te bekijken en misschien zou hij uit deze aanblik beter haar gevoelens over het huwelijk kunnen peilen dan uit haar uitlatingen en gedrag. Dinesh kwam zo geluidloos mogelijk uit zijn positie tegen de rots omhoog en leunde voorover op de bal van zijn voet. Half gehurkt schuifelde hij naar opzij, langs de rand van kiezels en steentjes van het bed tot hij zich halverwege tussen Ganga's hoofd en voeten bevond; de varens achter hem kietelden zachtjes zijn rug. Hij wachtte even om er zeker van te zijn dat zijn bewegingen haar slaap niet hadden gestoord, toen leunde hij enigszins achterover en probeerde haar in één keer volledig in zich op te nemen. Ganga was lang, maar uitgestrekt voor de grote rots die zijn plek beschermde, haar ogen gesloten en haar gezicht argeloos, leek ze nietig, kwetsbaar. De jurk waarin haar stille lichaam was gehuld glom dof in het zwartblauwe licht, en het op- en neergaan van haar borst en ingevallen buik daaronder leek een protest, als een kleine maar besliste uitdaging aan de wereld. Op handen en voeten kroop Dinesh centimeter voor centimeter in de richting van haar ranke, gewelfde voeten. Van tijd tot tijd strekten en bogen haar kleine tenen zich, hoofdzakelijk die van haar rechtervoet maar ook die van de linker, alsof ze in haar droom ergens heen rende, of ergens met haar blote voeten grip op de grond wilde krijgen. Tijdens die korte bewegingen verdwenen en verschenen de pezen van haar tenen afwisselend, maar de dunne aderen die eroverheen liepen tekenden zich duidelijk boven op haar voeten af, rondom de delicaat gevormde enkels waar ze in haar benen verdwenen. Tijdens haar slaap was Ganga's jurk enigszins omhooggeschoven en liet kleine delen van haar scheenbenen bloot, die dof glansden alsof ze heel vitaal waren. Dinesh boog zijn hoofd over dit stuk naakte huid en liet zijn blik eroverheen gaan als probeerde hij te ontdekken of de glans het resultaat was van de hoek waarin het licht viel of met haar huid zelf had te maken. Met zijn hoofd vlak boven haar lichaam, en de lichtelijk zure geur van haar jurk in zijn neus, bewoog hij omhoog over Ganga's dijen, waarbij hij even bij haar onderbuik stilhield, naar haar middel die op- en neerging als ze in- en uitademde. Bij elke keer dat die inzonk, voelde hij de aandrang om zijn hoofd in de intrekkende holte te leggen, alsof hij door zich in de holte van haar middel te nestelen in een andere wereld terecht kon komen, maar natuurlijk durfde hij dat niet. Hij wilde haar niet wakker maken, niet omdat ze dan haar ogen zou openen en zien dat hij zich ongepast dicht bij haar bevond, maar omdat hij deze zo serene levensvorm niet in zijn broze bestaan wilde verstoren. Alsof hij het zelf niet vertrouwde zo dicht bij haar lichaam te zijn zonder het aan te raken, lichtte hij zijn hoofd op en probeerde haar van een grotere afstand te bekijken. Ganga's rechterhand lag halfgeopend op het bed, naast haar middel. De dunne vingers waren niet helemaal gebogen, alsof ze weifelde tussen iets vasthouden of loslaten. Dinesh bracht zijn gezicht omlaag naar deze hand als wilde hij hem zachtjes met zijn neus aanraken, maar zonder contact te maken hervatte hij zijn verkenningstocht over haar lichaam. Hij bewoog langzaam en kalm van de kleine vingertoppen naar de slanke pols, over haar lange ontspannen arm naar de mouw van haar jurk, haar schouder overslaand naar de halslijn, de uitstekende sleutelbeenderen en haar naakte hals. Aan de zijkant van haar hals, langs het gele koord van haar thaali, stak duidelijk een ader af voordat die onder haar kaak verdween. Evenals de ontelbare andere bloedvaten die diep verborgen onder haar huid moesten zitten en van haar hart naar haar andere lichaamsdelen liepen en weer terug, had ook deze ader leven aan een specifiek lichaamsdeel van Ganga aangevoerd, wellicht zelfs aan haar gezicht. Net als haar vingers en tenen werd ook haar gezicht door lichte trillingen beroerd, in haar lippen, oogleden en wenkbrauwen, en misschien was dat leven wel te danken aan die ader in het bijzonder. Bij het zien van deze trillingen voelde Dinesh opnieuw grote behoefte Ganga aan te raken, niet per se om tegen haar aan te liggen en zich aan haar over te geven, maar alleen om even met zijn vingertoppen haar gezicht te betasten. Hij wilde de onderkant van haar kaak strelen, haar wenkbrauwen liefkozen of zijn hoofd naast het hare leggen zodat hun slapen elkaar zachtjes raakten, alles om de lichte trilling van het kloppende bloed onder haar huid te kunnen voelen en luisterend naar het zachte kloppen in haar droom te kunnen doordringen. Misschien zou haar huid wel heel anders aanvoelen dan hij hoopte, ruw en doods als een stok of een tak, of koud en bobbelig als een kiezel of een steen, maar dat risico wilde hij wel nemen om te weten te komen hoe haar huid echt aanvoelde, of die net zo warm was als de glans deed vermoeden of koud, of hij daaronder wel of geen levenstekens kon gewaarworden. Hij hield zijn adem in en bewoog zijn gezicht dichter naar dat van Ganga, en nu raakten ze elkaar bijna, maar net niet en hij kon de geur van haar door lichte transpiratie vochtige huid opsnuiven en tegen zijn oogleden voelen hoe door haar kleine neusgaten warme lucht werd uitgestoten en koele lucht opgenomen. Als hij de kans kreeg zou hij haar niet alleen hebben aangeraakt, maar haar ook in zijn armen hebben gesloten, haar zo hard tegen zich aan gedrukt hebben dat ze in elkaar zouden opgaan, maar hij wist dat Ganga als levend wezen net zoals andere levensvormen broos was en de lichtste aanraking kon haar ontredderen.

Een windvlaag bewoog de takken en de bladeren rondom hen trilden zachtjes en kwamen weer tot rust. Dinesh leunde achterover. Ganga bewoog zich onwillekeurig en sliep verder; wat zijn kortstondige nabijheid teweegbracht kreeg kennelijk zonder enig probleem een plekje in haar droom.

Het was in zekere zin goed dat ze in slaap had kunnen vallen. Het wilde zeggen dat ze zich veilig en op haar gemak voelde op deze open plek, dat die in zekere zin aan haar behoeften voldeed. Hij vond het best moeilijk niet een beetje trots op zijn onderdak te zijn als hij zag hoe rustig ze lag te slapen en hij alle spullen bekeek die ze had meegebracht, het plastic zeil en de sari zo netjes over het bed uitgespreid, de lichtbruine tas met al haar bezittingen aan het einde van het bed en het kookgerei op goed geluk opgestapeld ernaast. Op de een of andere manier maakten deze nieuwe dingen de plek concreter, substantiëler dan voorheen, alsof zijn betekenis als huis objectief bevestigd was door de harmonie waarmee deze nieuwe elementen erin pasten, hoe vanzelfsprekend ze op hun nieuwe plek thuishoorden. Dinesh keek naar Ganga om er zeker van te zijn dat ze nog steeds rustig sliep, schuifelde toen voorzichtig langs de rand van het bed naar waar de tas stond en staarde daar een tijdje roerloos naar. Ondanks de vele tochten en zware omstandigheden was het sterke canvas nog altijd even solide. De naden sloten nog steeds strak aaneen en de ritssluiting sloot de inhoud nog altijd volmaakt af. Ongetwijfeld was de tas sinds de eerste evacuatie vele malen geopend en gesloten en waarschijnlijk was onderweg de inhoud drastisch veranderd maar dat nam niet weg dat, vermoedde Dinesh, alles wat erin zat bij de wereld behoorde waarin Ganga leefde voordat de gevechten begonnen. Als hij hem opendeed, zou hij een glimp van die wereld kunnen opvangen, die wereld die voor hem en hoogstwaarschijnlijk nu ook voor haar ontoegankelijk was, en dan zou hij misschien een beetje beter kunnen begrijpen wie Ganga was. Met diezelfde hoop had hij eerder in de tent de buitenkant van de tas met zijn handen zo nauwkeurig afgetast, maar nu ze alleen waren en Ganga sliep, had hij de gelegenheid elk ding uit de tas stuk voor stuk in handen te nemen, op zijn gemak en met alle aandacht. De tas openmaken en erin kijken was natuurlijk iets heel anders dan de buitenkant aftasten. Van die wereld waarin Ganga had geleefd was niets anders meer over en door de tas te openen riskeerde hij de laatste overgebleven sporen te beschadigen, zoals een oude foto die uit een groezelig album wordt gehaald om van dichterbij bekeken te kunnen worden slechts onmiddellijk verpulvert. Dinesh keek weer naar Ganga, die nog steeds rustig achter hem sliep. Misschien moest hij de tas openmaken en alleen kijken wat erbovenop lag, zonder de inhoud te doorzoeken en er iets uit te halen. Even aarzelde hij en toen ritste hij de tas open, ervoor wakend niet te veel herrie te maken. Hij trok beide zijden vaneen en boog voorover om in het donker te kunnen kijken.

Boven in de tas lagen kleren, allemaal even netjes opgevouwen, hoofdzakelijk sari's, maar ook andere kleding die Dinesh aan de hand van de stof niet kon thuisbrengen, vermoedelijk jurken en bloesjes. Aan één kant was de ingelijste Lakshmi, die Ganga's vader voor het huwelijk had gebruikt, weggestopt met ervoor de twee kartonnen mapjes die de vader eruit had gehaald om de Lakshmi te kunnen pakken. Zonder ze uit de tas te halen trok Dinesh de mapjes een beetje open om erin te kunnen kijken. Er zaten hoofdzakelijk papieren in, brieven en enveloppen, met gerimpelde randen omdat ze ooit nat waren geworden en in het donker was het moeilijk te lezen wat er geschreven stond. Naast de mappen zaten enkele netjes dichtgemaakte plastic zakjes, die hij niet wilde aanraken uit angst dat ze zouden ritselen, en aan de andere kant van de tas, waar geen kleren waren, bevonden zich de twee waterflessen die Ganga had gevuld voordat ze weggingen en netjes daaronder verpakt de twee zakken rijst en dahl. Dinesh bekeek voorzichtig een paar kleren midden in de tas en legde ze weer terug zoals ze hadden gelegen. Hij kon er niet onder kijken zonder de kleren er helemaal uit te halen, maar hij wilde niet dieper met zijn handen in de tas gaan. Als hij onder in de tas keek en zich niet tot de bovenlaag beperkte, zou hij, zo meende hij, nodeloos de dingen die de tas beschermde blootleggen, net alsof hij, teneinde Ganga's gedachten en gevoelens te leren kennen, een snede in haar achterhoofd zou maken, de buitenste lagen grijze materie uit elkaar zou trekken en naar binnen zou gluren. Wanneer nodig zouden de spullen in de tas eruit worden gehaald. Hij had geen haast om te weten te komen wat het waren, want na verloop van tijd zou hij alles wat erin zat te zien krijgen.

Dinesh trok de ritssluiting kalmpjes dicht en keek een tijdje naar de afgesloten tas, als om zich ervan te vergewissen dat die er nog net zo uitzag als voordat hij erin had gekeken, dat er niets blijvends aan was veranderd. Hij wilde juist opstaan om terug naar zijn plaats te gaan, toen hij aan één kant een extra buitenvak zag. Aan de manier waarop dat uitpuilde kon hij zien dat er dingen in zaten, maar, gezien het een vak aan de buitenkant was, kon het niets waardevols zijn, niets wat onherstelbaar beschadigd kon raken. Na een snelle blik achterom om te zien of Ganga nog steeds sliep, boog hij voorover, ritste het vak open, stopte zijn hand erin en voelde. Het eerste wat hij tegenkwam was, te voelen aan de ronde hoeken en het glad gepolijste oppervlak, een stuk zeep, betrekkelijk weinig gebruikt. In het donker was de kleur moeilijk te zien, lichtroze of geel, maar toen hij het naar zijn neus bracht en snoof, herkende hij de zoete geur van limoen die hij eerder rond Ganga's huid had opgesnoven, toen hij gehurkt voor haar de thaali om haar hals had geknoopt. Hij stopte de zeep in de zak van zijn hemd en stopte opnieuw zijn hand in het vak. Het volgende wat zijn vingers te pakken kregen was een rechthoekig stuk plastic, met aan één kant een rij even lange tanden, kennelijk een kam. Hij voelde opnieuw in het vak om te weten wat er nog meer in zat – een tandenborstel, enkele tubetjes tandpasta en een enigszins verroeste schaar – stopte alles weer terug en sloot de ritssluiting, voor het moment tevreden met de zeep en de kam.

Dinesh sloop terug naar zijn plaats aan de andere kant van het aarden kussen, en ging weer tegen de rots zitten. Even hield hij zijn adem in, maar naast hem ging Ganga's ademhaling, geheel onverstoord, gelijkmatig door. Hij nam de kam uit zijn zak, bekeek hem een tijdje, ging met zijn vingertoppen langs de rij tanden en luisterde naar het aangename geluid dat ze maakten als ze terugveerden. Aanvankelijk langzaam, daarna enkele keren sneller, trok hij de kam over zijn onderarm. De punten van de tanden prikten in zijn huid door de laag vuil en dode materie die zich op zijn lichaam had opgehoopt, en hij voelde een verfrissende tinteling langs zijn nek en rug terwijl elke tand simultaan een ander pad over zijn arm nam. Hij bracht de kam naar omlaag naar zijn benen en trok hem toen langs één kant van zijn kuit, waarbij de langere, krullerige beenharen omhoog- en rechtgetrokken werden en hij overal op zijn huid speldenprikjes voelde. Hiermee ging hij een tijdje door, eerst zijn linkerbeen, daarna zijn rechter en toen, beseffend dat de kam die hij vasthield dezelfde kam was die hij Ganga in het kamp had zien gebruiken en voor zijn hoofdhaar was bedoeld in plaats van voor de haren op zijn armen en benen, bracht hij hem omhoog, stak hem in zijn lange ongewassen, ongeknipte haren en probeerde hem erdoorheen te halen. Dat herhaalde hij steeds op een andere plek, en de tanden drukten wel zachtjes in zijn schedel en kietelden aangenaam, maar zijn haar was een te grote kluwen van klitten om doorgekamd te worden. Het was verstrengeld in dikke, vettige klissen, een harde brok roosschilfers die elke keer dat hij zijn hoofd krabde voor hem neervielen, en de kam kwam er niet doorheen.

Dinesh hield de kam op ooghoogte en tuurde ernaar in het donker. Opnieuw haalde hij zijn vingers over de rij tanden en luisterde hoe ze terugveerden. Ineens voelde hij een dringende behoefte om zich te wassen. De laatste keer dat hij zich had gebaad was heel lang geleden en met Ganga's stuk zeep kon hij zich nu grondig wassen, niet alleen maar zijn gezicht, maar ook zijn haren en zijn lichaam. De laatste paar maanden had hij zich beperkt tot een beetje water dat hij tegen zijn gezicht plensde en dat noch de regen die hem af en toe had overvallen waren voldoende geweest om hem schoon te houden. Over zijn gehele lichaam had zich een stugge laag zout, stof en vet gevormd, die aan zijn ledematen koekte en hem in zijn bewegingen beperkte. Zijn gezicht was verstijfd tot een masker en er zat zo'n dikke okerkleurige laag klei aangekoekt aan zijn voetzolen dat deze haast geen gevoel meer hadden, zelfs niet in de voetholten, die toen hij jong was bijzonder kietelig waren. Als hij nu ging baden, had hij alle tijd om deze extra levenloze lagen van zich af te krabben, kon hij zijn lichaam licht en vrij maken, zijn huid diens vroegere gevoeligheid teruggeven. En misschien zou hij, als hij zich had gewassen, ook acceptabeler voor Ganga zijn, zou ze minder ambivalent ten opzichte van het huwelijk staan. Het was maar al te duidelijk dat ze ook om andere redenen gereserveerd tegen hem deed, ze leed nog onder de dood van haar moeder en haar broer en de verdwijning van haar vader, maar misschien zou ze anders naar hem kijken als hij schoon was en lekker rook, zou ze hem zien als een waardige echtgenoot en niet iemand om je voor te schamen. Hij wist ergens een put waar hij zich kon baden en ook zijn sarong en hemd kon wassen, het bloed en het vuil uitspoelen, zodat hij ook in onbezoedelde kleren zou rondlopen. Misschien zou Ganga hem, als hij schoon was en schone kleren droeg, als iemand met verantwoordelijkheidsgevoel zien, als iemand die betrouwbaar was en op wie zij zich dus kon verlaten. Natuurlijk was het niet met zekerheid te zeggen, maar als hij zich goed met zeep waste, zou ze zijn nabijheid misschien gemakkelijker verdragen en zou hij naast haar mogen liggen en haar misschien zelfs vasthouden. En misschien, al was het een absurd idee, omdat ze in haar huidige gemoedstoestand helemaal niet aan zulke dingen dacht, zou ze hem, als hij zich had gewassen, wel knap vinden.

Natuurlijk was het niet zonder risico om 's nachts de open plek te verlaten. Hij liep kans door de kaders gezien te worden, want hij liep nu meer in de gaten dan overdag, vooral omdat de andere vluchtelingen niet meer op zouden zijn en rondlopen. Bovendien zou het tijd kosten om heen en weer naar de put te gaan, en er was altijd het gevaar dat tijdens zijn afwezigheid het schieten begon. Als het kamp 's nachts werd beschoten, gebeurde dat gewoonlijk vlak na het invallen van de duisternis, op etenstijd of net ervoor, of anders helemaal aan het einde, heel vroeg in de ochtend. Daarom was er grote kans dat het een paar uur rustig zou zijn voor de volgende aanval, dat Ganga niets zou overkomen als hij nu even wegging, al was niets natuurlijk zeker, aangezien plaats en tijdstip waarop de granaten vielen alleen maar afhingen van het humeur van degene die op dat moment het commando voerde. En er was altijd de mogelijkheid dat, al werd er niet geschoten, Ganga uit zichzelf wakker zou worden. In dat geval zou ze ontdekken dat hij er niet was en zou ze bang en ongerust worden en zich zelfs misschien verraden en verlaten voelen. Dinesh wierp een snelle blik op Ganga, die nog altijd diep in slaap leek. Als hij zich haastte, kon hij over drie kwartier, hooguit een uur terug zijn. De rijst en dahl die hij eerder had gegeten begonnen te verteren en hij voelde zich een en al energie, tot alles in staat. Hij had het gevoel dat hij binnen de kortste keren bij de put zou kunnen zijn waar hij koel fris water over zijn vermoeide, vuile lichaam zou storten. Intussen zou de rand kiezels en stenen die hij om het bed had aangelegd de plek beschermen en zolang Ganga daarbinnen bleef zou niets gevaarlijks binnen kunnen dringen.

Dinesh stond op en ging naar de tas, legde de kam terug in het vak en pakte in een opwelling de schaar. Daarmee kon hij, als hij daar zin in had, zijn haar knippen. Hij ging rechtop staan en liep met enkele lange, soepele passen over de varens en struiken naar de rand van de open plek, bleef toen aarzelend staan. Nogmaals draaide hij zich om om naar Ganga te kijken. Ze lag daar met uitgestrekte armen op het bed, nog steeds roerloos en zich nergens van bewust. Het zou, dacht Dinesh, op een vreemde manier aangenaam zijn om weg te gaan en terug te komen en haar daar nog steeds veilig en vredig aan te treffen, rustig ademend naast de rots. En zoals hij vroeger van school thuiskomend en bepaalde kleine onopvallende veranderingen in en om het huis opmerkend, dat er nu een brief op de tafel lag, dat de ramen waren geopend of gesloten, of dat er natte kleren aan de waslijn hingen, daardoor op de een of andere manier het geruststellende gevoel kreeg dat zijn leven deel was van iets groters, iets met eigen kracht en energie, iets met eigen aandrijving, zo zou het nu net zo geruststellend zijn om na zijn bad naar de open plek terug te keren en te ontdekken dat Ganga zonder zijn aanwezigheid er nog steeds was, dat onafhankelijk van hem haar kleine borstkas op en neer was blijven gaan, dat de bijna onzichtbare aderen onder haar huid rustig waren blijven kloppen. Bemoedigd door deze gedachte draaide hij zich om en baande zich een weg tussen de bomen door.

5

AANVANKELIJK BEWOOG DINESH zich snel door de duisternis van het gebladerte, ook al kon hij de grond voor hem niet zien. Het voelde goed om zijn benen krachtig te gebruiken na zo lang gezeten te hebben, de druk op zijn voeten en de spanning in zijn kuiten te voelen wanneer ze bij elke stap het gewicht van zijn lichaam optilden. Hij liep zelfverzekerd en zonder aarzelen over zijn gebruikelijke pad en toen er gaandeweg minder bomen stonden en de duisternis afnam, merkte hij dat hij langzamer ging lopen, niet uit vermoeidheid als wel uit een soort ongerustheid over wat hij op zijn weg door het kamp zou aantreffen. Zijn gang werd onzekerder en ten slotte bleef hij aan de rand van de jungle stilstaan. Boven hem opende zich de weidse, lege lucht. De halvemaan scheen duidelijk zichtbaar, op korte perioden na waarin slierten transparante wolk onderlangs passeerden en hij verspreidde een zachtblauw achtergrondlicht dat geen enkele bron leek te hebben. In het enorme kamp dat zich voor hem uitstrekte stonden de tenten die stuk voor stuk dit licht opnamen en reflecteerden, een nachtelijke bijeenkomst van spoken die zich nergens konden verstoppen. In de verte was het doffe gedreun van granaat- en geschutvuur te horen, maar het kamp zelf leek een cocon van stilte alsof de strijd die onophoudelijk aan de noord-, west- en zuidkant woedde een deken vormde die het kamp inbakerde en niet iets was wat willekeurig, vele keren per dag, zonder waarschuwing verwoestend kon binnenvallen.

Erop lettend de indringende rust niet te verstoren zocht Dinesh stilletjes zijn weg door de buitenste ring van het kamp. De meeste vluchtelingen waren samen met hun gezinnen en bezittingen in hun tent, maar velen sliepen ook in de openlucht, op de grond en in open greppels, alleen of in groepjes van vier of vijf. Terwijl hij hen op weg naar de drukkere zones van het kamp gadesloeg, werd Dinesh langzaam bevangen door een plechtig gevoel dat hij wakker was terwijl verder iedereen sliep. Hij kon makkelijk zien wie net in slaap waren gevallen, aan hun gefronste voorhoofden en strakke lippen, aan de inspanning om de wereld die nog altijd op hun gezichten geprent stond buiten te sluiten. Hun spieren waren gespannen, hun lichamen stijf opgerold, hun gesloten ogen toegeknepen als om alles van buitenaf tegen te houden, vechtend om in slaap te komen of weer te komen voordat een volgende beschieting dat onmogelijk zou maken. Dat verschilde wellicht niet zoveel van hoe hij als hij 's ochtends vroeger dan noodzakelijk wakker werd – hoe lang was dat geleden – weigerde zijn ogen te openen en koppig deed alsof hij nog sliep, al wist hij maar al te goed dat hij weldra moest opstaan en zich in de wereld moest begeven. Daarentegen waren de lichamen van hen die al langer geleden in slaap waren gevallen ontspannen en hun lippen slap. Hun gezichten waren vredig en relaxed, en vertoonden geen tekenen van inspanning om de wereld buiten te houden. De meesten hadden hun tassen als kussen onder hun hoofd, of hun armen of benen eromheen geslagen als om een teddybeer, maar zonder zich eraan vast te klampen of zelfs vast te houden zoals de anderen. Ze leken zich nauwelijks meer om de buitenwereld te bekommeren; hun blik was als het ware min of meer naar binnen gericht, weg van hun ogen, oren, handen en voeten. De meesten van hen droomden, waarbij, net zoals bij Ganga die op de open plek lag te slapen, hun lippen bewogen, hun oogleden trilden en hun vingers en tenen zich kromden en ontspanden. Ze verkeerden tijdelijk in een onzeker rijk van kenteringen en onzekere gevoelens, ergens nog wel in deze wereld, maar grotendeels niet, terwijl het enkelen gelukt leek te zijn alles los te laten. Een klein, maar toenemend aantal leek helemaal niet meer te dromen en was in een diepere, tijdlozere slaap verzonken: hun monden stonden open en hun armen en benen waren wijd gespreid, hun borstkas ging zo zwak op en neer dat het moeilijk te zeggen was of ze nog ademden. Het was alsof deze slapers zich volledig van deze wereld hadden losgemaakt, niet alleen van de materie, maar ook van de vormen waarin in het dagelijkse leven deze materie wordt waargenomen, alsof ze naar elders waren vertrokken en ze hun lichamen onbewaakt in het kamp hadden achtergelaten, in het vertrouwen dat die veilig waren, hoewel het natuurlijk elk moment uit de hemel metalen scherven kon gaan regenen.

Vooral deze, in diepe, vaste slaap verzonken mensen, wilde Dinesh niet storen. Hij zorgde ervoor zijn voeten niet te dicht bij hun hoofd te zetten en terwijl hij in het voorbijgaan naar hun kalme, nietsvermoedende gezichten keek, was hij er zich scherp van bewust hoe zijn lichaam in hun nabijheid vertraagde, hoe zijn voeten zich behoedzaam welfden en zich op de grond zetten, hoe beheerst zijn kuiten zich spanden als ze zijn lichaam optilden en het gewicht daarvan naar de andere voet verplaatsten. Waarschijnlijk zouden ze niet wakker worden als hij een geluid maakte, maar hij was desalniettemin bang de stilte die hun slaap omringde te verstoren, zoals je bij het betreden van een tempel bang bent enig geluid te maken, alsof er in zekere zin geen verschil was tussen de door de godheid vereiste stilte en de stilte vereist door de slaap van andere mensen. In hun slaap leken al deze mensen de wereld buiten hen losgelaten te hebben en zich nu te bevinden in aanwezigheid van iets bijzonders, iets moois en etherisch, dat zich had geopenbaard of zich binnen in hen had onthuld, en dat hen volledig in de ban hield zoals je, kijkend in een tijdelijk ongebruikte put, waarin het bewegende water tot rust is gekomen en zelfs de kleinste rimpeling is gladgestreken, op de bodem dingen ziet die in al die jaren dat de put gebruikt werd onopgemerkt zijn gebleven. Niet in staat je ervan los te maken word je steeds dieper naar binnen getrokken en zoals een over het wateroppervlak scherend insect voldoende kan zijn om iemands aandacht terug te halen uit de diepte, hem met zijn ogen laat knipperen en afleidt, zo was Dinesh bang dat de minste beweging van zijn kant de diep in slaap verzonken mensen kon afleiden van wat ze hadden gevonden.

Lopend door het kamp langs al die slapende mensen vroeg Dinesh zich af of hij de afgelopen maanden niet beter zijn best had moeten doen om te slapen, niet alleen omdat hij moe was, maar omdat hij door niet te slapen misschien iets was misgelopen waarvoor hij geen tweede kans zou krijgen. Hij had al zoveel jaar geprobeerd niet te slapen, de slaap te weren als een zoveelste afleiding van het centrale doel van het leven, een doel dat hij nooit kon omschrijven, maar waarnaar hij verlangend uitkeek, in de hoop dat het zichzelf aan de nachtelijke hemel zou vertonen. Ook als hij moe was en vroeg moest opstaan, bleef hij lang wakker, alsof hij door wakker te blijven zichzelf de kans gaf een langverwachte ervaring op te doen die het leven hem zou onthouden als hij in slaap viel. Maar misschien was dat een verkeerde houding geweest, misschien had hij zich gewilliger in slaap moeten laten vallen, misschien had hij ontvankelijker moeten zijn voor wat slaap kon geven, voor wat slaap nu aan iedereen gaf. Per slot van rekening vond je het altijd vreselijk uit je slaap gehaald te worden, zou je, als je sliep, het liefst de rest van je leven blijven slapen. En nog steeds wilde hij niet slapen, wilde hij dat niet alsof er, wanneer hij wakker bleef, iets zou gebeuren dat al die langdurige moeite om wakker te blijven rechtvaardigde, maar wat zou de beloning eigenlijk kunnen zijn, wat voor nut kon wakker blijven eigenlijk opleveren? Hij wilde baden opdat Ganga hem zou accepteren, maar al zou dat helpen, dan moest hij nog altijd wachten tot zij wakker was om dat op te merken, en hij had net zo goed nu kunnen slapen en pas 's ochtends gaan baden, dan had hij haar tenminste kunnen waarschuwen voordat hij haar alleen achterliet. Als hij wilde, kon hij natuurlijk nog altijd teruggaan; Ganga zou nog rustig op hun plek liggen en waarschijnlijk inmiddels diep in slaap zijn. Hij kon teruggaan en naast haar in slaap vallen, hij kon zich oprollen met zijn handen onder zijn hoofd en zich beetje bij beetje in die diepe onbewuste staat laten wegzakken. Dat alles, wist hij, was mogelijk als hij terugging en naast Ganga ging liggen, maar hij had nu al zo'n eind gelopen en hij was al bijna bij de put. Het was goed zijn lichaam te reinigen en het zou fijner zijn om te gaan slapen als hij schoon was. Het was, althans voorlopig vond hij, beter om wakker te blijven.

De put die hij in gedachten had bevond zich vlak achter het schoolgebouw waarin de kliniek was ondergebracht, op een klein erf dat naar het zuiden en westen door een stuk jungle werd omgeven. Toen hij daar in de buurt kwam, liep Dinesh met een grote boog om de tientallen gewonde vluchtelingen heen die vlak voor de kliniek op zeilen waren neergelegd. Hun dunne, aan flarden geschoten, gebroken lichamen waren slechts door bloederige stroken aarde van elkaar gescheiden, en hij bleef liever zo veel mogelijk bij hen vandaan. Maar desalniettemin moest hij langs de vele niet-opgeëiste lichamen die aan de zuidoostelijke kant van de kliniek waren neergelegd en dichterbij komend werd hij steeds banger dat hij op een levenloos lichaamsdeel zou stappen. Hij nam grote, behoedzame passen en liet alleen de voorkant van zijn voeten in contact met de grond komen zodat hij min of meer op zijn tenen liep. Als hij op iets stapte dat zacht was maar structuur leek te hebben, bleef hij onmiddellijk staan, zijn lichaam even bevroren, vervolgens stootte hij het voorwerp angstvallig aan met de rand van zijn slipper om zich ervan te vergewissen dat het een normaal, natuurlijk iets was, een plant of tak onder een hoop bladeren. In de loop van alle gevechten was hij weliswaar gewend geraakt aan levenloze lichamen en lichaamsdelen, en heel lang hadden die hem niet erg veel gedaan, maar de recente nabijheid van al die slapende mensen in het kamp en ook van Ganga's kalme warme lichaam op het bed maakte dat hij zich nu vlak bij al die dode lichamen onrustig voelde. Er waren nog andere putten en pompen in het kamp die hij had kunnen gebruiken, maar het probleem was dat die geen enkele privacy boden. Baden bij een andere put of pomp hield in dat je volop in het zicht stond van de andere vluchtelingen en ook van eventuele patrouilles van de beweging. Daarentegen werd het gebied rondom de kliniek om de een of andere reden gemeden door de kaders en de put van de kliniek was volledig ingesloten door de achterkant van het schoolgebouw en de omliggende struiken en bomen. Bij de put lag geen enkele gewonde en alleen de verpleegsters en vrijwilligers kwamen daar hun emmers met water vullen om wonden te reinigen, instrumenten te wassen en water te geven aan de gewonden van wie sommige, vooral die rondom de maag waren getroffen, onlesbare dorst hadden. Er was een kans dat er nu iemand bij de put stond, maar het was bijna middernacht; dit was de periode van drie à vier uur waarin bijna iedereen in het kamp, en ook in de kliniek, probeerde te slapen en daarom zou er nu hoogstwaarschijnlijk niemand zijn.

Dinesh sloop over het smalle pad tussen de buitenmuur van de lerarenkamer en de bomen waarvan de bladeren langs zijn gezicht streken tot hij bij de hoek aankwam waar hij roerloos bleef staan en uitkeek over het achtererf van de school. Midden op het erf was de dikke ronde muur van de put te zien, ongeveer een meter of een meter twintig hoog; eromheen slechts kale aarde met hier en daar een plukje gras dat dof in het maanlicht glom. Ingekapseld tussen enerzijds de achtermuren van de twee schoolgebouwen en anderzijds de rij bomen die de grens van de jungle vormde, maakte het terrein een merkwaardig kalme en vreedzame indruk. Afgezien van de emmer naast de put en twee geïmproviseerde, uit stokken en sarongs vervaardigde draagbaren die op de grond lagen, wees niets erop dat dit een al sinds vele jaren drukbezochte plek was. Dinesh hield zich nog een twee of twee minuten langer schuil om de hoek van de lerarenkamer en pas toen hij er zeker van was dat er niemand in de buurt was, liep hij langzaam over het open terrein naar de achterkant van de put. Tijdens het lopen probeerde hij zijn hartslag tot bedaren te brengen alsof dat door stil te wezen zijn in het oog lopende beweging kon compenseren en toen hij op de iets verhoogde betonnen vloer rondom de put ging staan, hield hij zich volmaakt roerloos als wilde hij eenieder die keek ervan overtuigen dat hij werkelijk een levenloos object was. Geluidloos trok hij zijn slippers uit en liet zich zakken tot hij met gekruiste benen zat, met zijn rug tegen de gladde cementen putmuur. Op korte afstand voor hem begon de wirwar van struiken, die langzaamaan dikker werden totdat ze niet meer te onderscheiden waren van de bomen; van achteren ingesloten door de twee gebouwen en van voren door de halve cirkel van de jungle had hij het gevoel van alle kanten beschut en gedekt te zijn, voldoende beschermd. Niemand zou hem kunnen zien, tenzij er iemand naar de put kwam, maar als hij geen lawaai maakte, zou niemand daar reden toe hebben. Hij had het gevoel dat de plek genoeg beslotenheid bood, geen onbeperkte en geen ontoegankelijke, maar voldoende om daar enige tijd in zijn blootje te kunnen staan.

Uit zijn hemdzak haalde Dinesh het stuk zeep en de schaar die hij uit Ganga's tas had meegenomen. Door het kamp lopend had hij een oude krant op de grond zien liggen en opgepakt; daarvan spreidde hij voor hem een blad uit op het beton en legde de zeep erbovenop zodat het niet wegwoei. Hij nam de schaar in zijn rechterhand, pakte met zijn linkerhand een lange pluk haar boven op zijn hoofd, aarzelde even alsof hij op het punt stond iets heel gewichtigs te doen, en knipte. Hij knipte de kruin kort, nam vervolgens zijn achterhoofd onder handen, daarna de voorkant en legde elke pluk zorgvuldig op de krant. De schaar was enigszins verroest en het kleine onderste oog klemde ongemakkelijk om zijn duim, maar het knippen op zich ging gemakkelijk omdat zijn haar was samengeklit in vette losse plukken. Van het omhooghouden van zijn armen begonnen zijn beide schouders een beetje pijn te doen, maar hij werkte rustig de zijkanten af, voorzichtig om zijn oren heen en toen weer via zijn achterhoofd omlaag naar zijn nek. Zo ging hij door totdat het haar op zijn hoofd overal ongeveer even lang aanvoelde, niet langer dan ongeveer twee centimeter; toen legde hij de schaar neer en liet zijn armen langs zijn zij vallen. Op de krant voor hem lag een grote hoop zwart dierlijk haar, meer dan genoeg om de schedel van iemand die geen haar meer had te bedekken. Het was haast niet voor te stellen dat hij zo lang met zoveel haar had rondgelopen en dat hij ondanks de hoeveelheid nauwelijks het gewicht had gevoeld. Hij pakte het stuk zeep op en veegde alle losse slierten en plukken van de rand van de krant naar het midden bij elkaar. Met zijn handen eromheen om het bij elkaar te houden stak hij er zijn neus in. Hij snoof diep alsof hij uit de geur kon opmaken wat het belang was van wat hij van zijn lichaam had verwijderd, van de gebeurtenissen in de periode waarin dat wat hij had afgeknipt was gegroeid, maar hoe hij ook snoof, zijn haar rook naar niets.

Dinesh leunde even roerloos achterover tegen de muur. Hij bekeek zijn duim die nog pijn deed van het vasthouden van de schaar en merkte voor het eerst de staat van zijn nagels op. Hij beet ze af sinds hij geëvacueerd was, meer als tijdverdrijf dan uit properheid, en het bijten had de nagelgroei wel vertraagd maar niet volledig stopgezet. Ze waren nu ruim een centimeter lang, bijna even lang als de nagels van zijn tenen, en de onderkanten waren aangekoekt met dik, zwartbruin vuil. Hij probeerde het vuil onder de nagel van zijn linkerwijsvinger weg te schrapen met de duim van zijn andere hand, maar het vuil was te veel vast-gekoekt om op deze manier verwijderd te kunnen worden. Hij pakte de schaar weer, hield zijn wijsvinger vlak voor zijn gezicht en begon zijn nagel te knippen. Hij bewoog de schaar zorgvuldig om de ronding van zijn vingertop zodat de nagel in één keer in zijn geheel afviel zonder ineens weg te schieten. De afgeknipte nagel legde hij op een hoek van de krant en toen begon hij aan de volgende vinger. Hij herinnerde zich dat zijn vader hem eens, toen hij tien of elf jaar oud was, een harde klap had gegeven om-dat hij na het donker zijn nagels had willen knippen. Eén keer ervoor was hem al gezegd dat niet te doen, dat hij, als het zes uur was geweest, moest wachten tot de volgende ochtend, maar die eerste keer leek zijn vader niet heel erg boos geweest te zijn, misschien omdat hij toen nog niet echt was begonnen. De tweede keer moest hij op zijn knieën de vloer afzoeken tot hij alle twintig afgeknipte nagels had gevonden, en toen hij ze eindelijk verzameld had, had zijn vader ze meegenomen naar het braakliggende stuk land achter hun huis en ze zo ver hij kon weggeworpen in het struikgewas. Hij had geen idee waar die regel van nooit 's avonds je nagels knippen vandaan kwam en waarop hij gebaseerd was, maar daarna had hij hem nooit meer overtreden. Daarna had hij, elke keer dat hij zijn nagels wilde knippen, instinctief eerst geverifieerd hoe laat het was en die gewoonte had hij aangehouden ook nadat zijn vader twee jaar na de gebeurtenis was overleden. Maar vandaag dacht hij pas aan die regel toen hij al met het knippen van zijn nagels begonnen was, alsof de herinnering aan zijn vader, aan wie hij nu voor het eerst sinds lange tijd dacht, zo ver weg was dat zelfs zijn strengste verboden geen invloed meer op hem hadden. Uiteraard was het niet te laat om ermee op te houden, hij was nog niet eens klaar met zijn linkerhand, maar nu hij eenmaal was begonnen, was er, meende Dinesh, geen reden om te stoppen aangezien de regel toch al was overtreden. En ook al kon hij zich hoeden voor de gevolgen door zich op de juiste plek van de nagels te ontdoen, zoals zijn vader had gedaan, dan wist hij eigenlijk niet goed wat hem te doen stond: moest hij ze verwijderen van de plek waar ze geknipt waren of ging het erom ze te deponeren op een plek waar andere mensen ze niet zouden zien of erop zouden stappen of was het oké zolang ze niet in iemands huis bleven liggen? Hij wist trouwens niet zeker of hij zijn nagels wel wilde weggooien; het zou namelijk best fijn zijn om ze samen met zijn haar in te pakken. En misschien gold het verbod om nagels na het donker te knippen slechts tot middernacht. Per slot van rekening begon er na middernacht een nieuwe dag, in zekere zin was het al ochtend en misschien was de regel niet overtreden.

Toen Dinesh klaar was met zijn linkerhand begon hij aan zijn rechter, werkte vanaf de duim naar de pink, deed daarna zijn benen van elkaar en begon aan de dikkere, taaiere teennagels, eerst die van zijn rechter- en daarna die van zijn linkervoet. Toen alle nagels van vingers en tenen waren geknipt, nam hij ze van de krant in de palm van zijn hand, hield ze voor zijn neus en snoof de vertrouwde, enigszins misselijkmakende geur op. Ze bevatten een concentraat van alle verschillende plekken waar hij had gelopen en alle verschillende dingen die hij de afgelopen maanden had vastgehouden, en in tegenstelling tot zijn reukloze haar, leverden ze een levendig verslag van zijn recente verleden. Dinesh snoof verschillende malen diep op om alles wat ze bevatten in zich op te nemen en de geur in zijn herinnering vast te leggen, toen lichtte hij de dot haar op de krant iets op en schoof de afgeknipte nagels eronder, zodat ze onder het haar verborgen waren. Met één hand hield hij de plukken haar bijeen en met zijn andere hand trok hij langzaam een punt van de krant eroverheen. Hij vouwde de punt over de haarmassa en legde de tegenovergestelde punt over de eerste, deed diagonaal hetzelfde met de andere en maakte zo van de krant een klein pakje. Hij drukte de zijkanten stevig aan, zodat ze niet openvielen en het geheel eruitzag als zo'n klein pakje as dat grote tempels aan gelovigen gaven om mee naar huis te nemen, en legde dat toen voorzichtig voor hem op de grond. Hij staarde enige tijd naar het pakje met levenloze lichaamsmaterie en bij het zien dat alles zo netjes en stevig was ingepakt, voelde hij zich op de een of andere manier versterkt, alsof het verwijderen van zijn haar en nagels hem van een last had bevrijd en zijn besef in leven te zijn voor korte tijd intensiveerde.

Vlak na deze kortstondige energiestoot volgde een plotselinge vermoeidheid. Die overviel Dinesh als een onverwachte golf die hem bijna verdronk. Zijn oogleden werden zwaar en zijn hoofd licht. Alsof hij door het knippen van zijn haar en nagels de band met de wereld had doorgeknipt, voelde hij zich ineens bereid om in slaap te vallen. Hij wist dat dat zou kunnen gebeuren als hij daar bleef, en met Ganga alleen op de open plek kon hij dat risico niet lopen. Zich verbijtend stond hij op. De plotselinge opwaartse beweging maakte hem nog lichter in zijn hoofd en hij hield zich aan de muur van de put vast tot hij zijn evenwicht weer had hervonden. In de stalen emmer, die met zijn touw uitgerold naast de put stond, zat nog wat water; dat schepte hij op in zijn tot kom gevormde hand en plensde het tegen zijn gezicht. Het water deed zijn brandende oogleden goed en enigszins verfrist leunde hij over de rand van de muur en keek in de diepte. De put was behoorlijk breed, twee volle meter doorsnee, maar zo diep dat het maanlicht niet tot op de bodem reikte. Het water was slechts van het lagere gedeelte van de wand te onderscheiden door de donkere glinstering die het afgaf en onder dit gladde, ononderbroken oppervlak voelde Dinesh de aantrekkingskracht van de daarin verstilde beslotenheid. Zonder zijn ogen van het water af te wenden greep hij naar de stalen emmer naast hem. Hij zag ertegen op het wateroppervlak te verstoren, maar liet toch de emmer zakken, waarbij hij oppaste deze onderweg niet tegen de wand te laten botsen. Zijn handen vierden om beurten het touw, steeds lager tot het geluid van staal in aanraking met het water van beneden weerklonk naar omhoog. Met kleine rukjes aan het touw liet hij de emmer naar één kant in het water overhellen, wachtte tot die vol was en trok hem toen langzaam uit de put, over de muur op de betonnen vloer naast hem. Hij was van plan geweest zijn kleren uit te trekken en eerst te wassen in plaats van ze aan te houden en nat te laten worden terwijl hij zich waste; want alleen als hij ze apart waste zou hij ze naar behoren kunnen inzepen en laten weken. Maar hij wist nog niet in welke volgorde hij ze moest wassen, eerst zijn hemd en dan zijn sarong, of eerst zijn sarong en dan zijn hemd, of gewoon allebei tegelijk. Hij was een beetje zenuwachtig om helemaal naakt te staan, dus kon hij misschien met zijn hemd beginnen en als hij zich wat meer op zijn gemak voelde zijn sarong doen. En als hij na een tijdje genoeg vertrouwen had dat er niet ineens iemand zou komen die hem daar aantrof, zou hij zich kunnen baden.

Hij hurkte langzaam neer voor de emmer en maakte de knopen van zijn hemd los, vanaf de kraag naar omlaag, trok het uit en dompelde het in het water. Dat bleef even helder, maar toen het hemd doorweekt was en omlaag zonk, kwam er een modderige wolk bovendrijven. Dinesh kneedde de katoenen stof, wreef hem tussen zijn duimen en wijsvingers zodat alles wat zich daarin had opgehoopt eruit werd gewreven en oploste, alle opgedroogde zweet, en stof en bloed. Er was nog ruimte genoeg in de emmer en, minder zenuwachtig nu hij weer gehurkt zat, trok hij ook zijn sarong en onderbroek uit, maakte er een bal van en deed ook die in het water. Geheel naakt leunde hij voorover op de bal van zijn voeten en hij schrobde, ontvouwde en kneedde de drie kledingstukken, probeerde zo goed mogelijk al het in de naden opgehoopte vuil waardoor ze dik en stug waren geworden eruit te wringen. Hij wist niet meer hoe hij aan de blauw met groene sarong was gekomen, hoe lang hij hem al had en of hij hem had gekocht of gekregen. Hij kon zich nog vaag herinneren dat het witte gestreepte hemd hem jaren geleden was gegeven voor een speciale gelegenheid, hoogstwaarschijnlijk voor Deepavali, maar hij zou niet meer kunnen zeggen hoe oud hij toen was en wat er die dag was gebeurd. Hij haalde het hemd uit het water en kneedde een stukje van de stof voorzichtig tussen beide handen alsof hij diens verhaal door het onderlinge contact van zijn handpalmen via de minuscule gaatjes van het stiksel beter zou kunnen oproepen. Hij sloot zijn ogen om zo helder mogelijk te kunnen denken. Met gefronste wenkbrauwen probeerde hij zich te concentreren. Hij wist dat daar ergens de feiten waren, maar er kwam niets terug in zijn herinnering, geluiden noch beelden noch geuren. Hij had het gevoel of de aanwezigheid van die tijd in het verleden net, maar ongrijpbaar, onder de rand van zijn bewustzijn zweefde, het gevoel dat iemand heeft die op een ladder staat en zich uitrekt om een net buiten zijn bereik heen en weer wiegelende veer te grijpen en daardoor des te intenser alleen de sporten waar zijn tenen zich om krullen en de spanning in vingertoppen en armen voelt. Hoe hard Dinesh ook zijn best deed om zich de herkomst van zijn overhemd te herinneren, het enige wat hij voelde was zijn lichaam en de dingen waarmee hij in direct contact stond, het water waarin zijn handen waren gedompeld, het natte beton onder zijn voeten en de lucht die constant zijn longen in en uit stroomde en zijn borstkas op en neer deed gaan.

Dinesh haalde het hemd en de sarong uit de emmer en hing ze over de muur van de put, hield de emmer ondersteboven en keek hoe het dikke bruine water eruit liep en in de grond sijpelde. Hij stond op en liet de emmer weer in de put zakken. Naakt als hij was wachtte hij ongeduldig tot die vol was, haalde hem op en hurkte weer neer. Met het stuk zeep begon hij nu krachtig het hemd te bewerken, wreef de ingezeepte stukken stof tegen de niet-ingezeepte, zodat het zeepschuim gelijkelijk werd verdeeld. Dat herhaalde hij bij de sarong en de onderbroek en toen de drie kledingstukken volledig waren ingezeept, dompelde hij ze onder in het schone water en keek wat er in het heldere water kwam bovendrijven, ditmaal troebeler, maar minder vuil. Natuurlijk was het in zekere zin niet zo gek dat hij zich niets van de herkomst van de kledingstukken kon herinneren. Het kwam alleen maar door het voorstel van die ochtend en de huwelijksvoltrekking

van die middag dat hij nadacht over wat er in de laatste maanden nadat ze hun huis waren ontvlucht was gebeurd. Al die tijd
had hij rondgelopen in een staat van verbijstering, verstoken van
herinnering, gedachte en besef, als een met kop en ledematen in
zijn schild teruggetrokken schildpad; was het dan vreemd dat hij
niets meer wist van wat er daarvoor was gebeurd? Nu en dan
kwamen herinneringen aan dat leven tot hem terug, maar slechts
in korte fragmenten, stomme beelden die vanzelf kwamen, die
geen verband hielden met andere zaken en die verdwenen voordat hij ze had kunnen plaatsen. Ze lieten slechts een vaag gevoel
van leegte achter, als het huis uit je kindertijd waar je jaren later
naar terugkeert en het van de gehele inhoud ontdaan aantreft,
met alleen nog de spijkers waaraan ooit schilderijen hingen en
lichtere plekken op de vloer waar ooit meubilair stond. Waarschijnlijk zou hij specifieke vragen over vroeger wel hebben kunnen beantwoorden. Hij zou hebben kunnen opnoemen waar hij
had gewoond, het precieze dorp en de straat, zijn familieleden,
welke vakken hij op school volgde en wat hij in zijn vrije tijd
deed. Maar hoe nauwkeurig zijn antwoorden op die vragen ook
waren, ze zouden hol zijn. Hij kon zich de gezichten van zijn vader, moeder of broer niet meer voor de geest halen, wist zich
niets meer te herinneren van hun dagelijks leven of de sfeer thuis,
en alles wat hij over die tijd zei zou van essentie gespeend zijn,
zoals de lege figuren in een kinderkleurboek. Op dit moment kon
hij alleen de tien of elf maanden vanaf het begin van de evacuatie overzien, net zoals al zijn mogelijke verwachtingen en voor-
nemens beperkt waren tot de enkele uren die op elke dag over
waren en misschien, op een amorfe manier, tot de paar dagen of
weken vóór dat abstracte moment waarop ook hij gedood zou
worden. Uit de aan het verleden gewijde hersenhelft en de aan de
toekomst gewijde hersenhelft waren grote delen weggeschaafd

en vlak om de kleine kern die aan het heden toebehoorde zat alleen nog de dunne laag van het recente verleden en de nabije toekomst. Daarom kon hij zijn toevlucht niet nemen tot het verre verleden of de verre toekomst om, zoals mensen normaliter deden, in moeilijke tijden het huidige moment te negeren, te doorstaan of op z'n minst te aanvaarden.

Tijdens een van hun eerste evacuaties hadden Dinesh en zijn moeder hun tent opgeslagen naast een vrouw wier zoon tijdens de oorlogshandelingen in het jaar daarvoor was gedood, nog voordat de evacuatie was begonnen. Ze was met haar man en twaalf jaar oude dochter en bracht haar vrije tijd grotendeels lezend in de Bijbel in hun tent door, waarbij ze heen en weer wiegend de woorden zacht fluisterend opzei. Ze kon nog niet zo oud zijn, hooguit begin veertig, maar haar haar was grijs, haar wangen waren ingevallen en haar ogen verdronken in een vloeistof die elk moment leek te zullen overlopen. Aanvankelijk was ze in zijn aanwezigheid, merkte Dinesh, enigszins geagiteerd. Als ze dacht dat hij niet keek, staarde ze hem aan en af en toe maakte ze in zijn richting impulsieve bewegingen die ze met grote moeite wist te onderdrukken, alsof haar lichaam hem voor iemand anders aanzag en een verkeerd gebaar slechts door een enorme mentale inspanning voorkomen kon worden. Twee weken lang deelden Dinesh en zijn moeder een schuilgang met de vrouw en haar gezin en toen haar innerlijke strijd kalmeerde en ze zich in zijn aanwezigheid meer op haar gemak voelde, begon ze soms tegen hem over haar zoon, alsof hij en Dinesh volle neven van elkaar waren die elkaar nooit hadden ontmoet. Als hij nog had geleefd, zou hij even oud zijn geweest, zei ze; verder waren ze even lang. Misschien was Dinesh iets langer, maar haar zoon was enige tinten lichter en gespierder. Hij was een van de beste netbalspelers van zijn school, en hij studeerde ook heel hard hoewel hij niet zulke goede cijfers behaalde. Hij deed alles wat ze vroeg en soms zelfs nog voordat ze iets had gevraagd, alsof hij aan de uitvoering van de gedachte begon zodra die bij haar was opgekomen. De laatste maanden thuis werd hij prikkelbaar, vertelde de vrouw aan Dinesh; ze ging zachter praten alsof ze hem een geheim toevertrouwde. In de tijd dat de beweging de dorpen uitkamde op zoek naar jonge mensen had hij vaak ruzie met zijn vader en soms schreeuwde hij zelfs. Uiteraard was het begrijpelijk dat hij boos werd toen hij niet meer naar school en naar zijn vrienden mocht gaan, toen hij hele dagen binnenshuis moest blijven om niet gezien en meegenomen te worden. Wanneer de rekruteerders naar het dorp kwamen, verborgen ze hem in een oud olievat dat in de tuin begraven was, waar hij uren achtereen bijna stikkend in de hete grond lag. Elke keer dat dit gebeurde werd hij kwader en toen hij ten slotte uit pure frustratie besloot zich niet meer te verbergen en zich bij de beweging aan te sluiten, nam hij niet eens afscheid van hen; hij vertrok gewoon op een avond zonder iets te zeggen, alsof de beweging en niet zijn familie het beste met hem voorhad. De vrouw had naar de grond zitten kijken, met half dichtgeknepen, als in de verte turende ogen, maar toen keek ze met een treurige glimlach omhoog naar Dinesh. Het lichaam van haar zoon was inderdaad levenloos teruggekeerd, maar ergens, zo voelde ze, leefde hij nog. Ze wist, ze voelde dat hij in een hogere wereld gezond en wel was, ze was er zeker van dat hij ergens leefde.

Destijds had Dinesh alleen maar geknikt, als om de vrouw te laten weten dat ook hij dit een aannemelijke veronderstelling vond. Ondanks de overtuiging waarmee ze had gesproken had hij slechts medelijden met haar kunnen voelen, want waarschijnlijk zei ook zij alleen maar wat ze moest zeggen teneinde te overleven zoals de talloze anderen die net als zij hun verlies niet konden erkennen. Maar misschien was het fout van hem geweest zich zo snel van haar af te maken, misschien had hij te laatdunkend op haar gereageerd. Misschien hadden de woorden van de vrouw een waarheid bevat, die hij niet had kunnen inzien. Per slot van rekening betekende verwant aan iemand zijn meer dan alleen maar bij hem zijn, het betekende meer dan alleen maar veel tijd met hem doorgebracht te hebben. Met iemand verwant zijn hield in dat het levensritme van die persoon volledig synchroon met het jouwe liep, het hield in dat het ene lichaam geleerd had instinctief op het andere te reageren, op diens gebaren en hebbelijkheden, op de subtiele verschillen in de manier van spreken en bewegen, zodat alle bewegingen van de ene persoon geleidelijk aan onbewust harmonieerden met die van de ander. Twee werkelijk aan elkaar verwante mensen waren twee volledig op elkaar afgestemde lichamen, ieder voor zich in staat in elke mogelijke situatie zonder na te denken op de ander te reageren en omdat deze kennis bovenal was gegrift in het geheugen van de zenuwen en spieren, in de handen en voeten, in de wangen, lippen en oogleden, was wat de vrouw had gezegd misschien niet zo gek, was het misschien zelfs wel waar. Met de bewering dat haar zoon nog leefde bedoelde ze alleen maar dat ze zelfs na de dood van haar zoon deze kennis nog had, dat die in haar motorisch systeem was gegrift, in haar leefde en gereed was elk moment in actie te komen, zodat als haar zoon een jaar na zijn dood plotseling voor haar tent stond waarin ze thee aan het maken was, ze hem glimlachend een kop zou inschenken en pas daarna van angst of ongeloof verstijven en zich afvragen hoe het mogelijk was dat haar dode zoon voor haar stond. Zoals iemand in een dergelijke situatie kon zeggen dat, hoewel fysiek volledig intact, een deel van hem dood was, en daarmee slechts bedoelde dat iemand was weggenomen met wie hij in een bepaald opzicht volledig was vergroeid, zodat een gedeelte van hem verdorde en wegkwijnde, zo bedoelde de vrouw alleen maar dat, hoewel het hart van haar zoon niet langer sloeg, zij nog steeds zijn leven in alle vezels van haar lichaam voelde kloppen en hij dus in zekere zin nog steeds leefde en in haar lichaam was geborgen, precies zoals hij dat was geweest voor hij werd geboren. Waarom mensen in dergelijke situaties uiteenlopend reageerden was moeilijk te zeggen, maar wat de vrouw had gezegd was in elk geval in zekere zin waar. En misschien gold dat ook voor Dinesh als het ging om zijn moeder, en ook als het ging om zijn vader en zijn broer en iedereen die hij ooit had gekend. Het maakte niet uit of hij zich nu niet meer hun gezichten, stemmen of karakters voor de geest kon halen, want alles wat ertoe deed droeg hij nog steeds met zich mee in zijn lichaam, ze waren nog steeds levend, niet in een andere wereld, zoals de christenvrouw had gedacht, maar in dezelfde wereld, alleen in een andere vorm en dat was tenminste iets waar je dankbaar voor kon zijn.

Natuurlijk zou elke herinnering uiteindelijk vervagen, zelfs die herinnering waarmee het lichaam het meest vertrouwd is. Je kunt je moeilijk voorstellen dat je vergeet hoe je moet lopen of hoe je moet praten, maar als je maar lang genoeg aan je bed gekluisterd bent, zul je op den duur vergeten hoe je je benen moet neerzetten, als je maar lang genoeg met niemand gesproken hebt, zul je ten langen leste vergeten hoe je een zin moet uitspreken. Natuurlijk kun je dergelijke dingen opnieuw leren, maar opnieuw leren is nooit hetzelfde als vanuit het niets beginnen. En ook al zou dit betekenen dat wat het lichaam eenmaal heeft geleerd nooit volledig kan worden vergeten, dat zijn geheugen nooit volledig kan worden uitgewist, dan toch moeten al die herinneringen uiteindelijk oplossen of vervagen, zodat zelfs de mensen van wie je ooit het meeste hield en die je het meest na stonden, mettertijd zullen verbleken tot geesten of schimmen, heel af en toe kortstondig zichtbaar in iemands beweging of gebaar, maar meestentijds afwezig. En dus bofte Dinesh in zekere zin dat hij nog zo onlangs zijn moeder had gezien, bofte hij dat ze nog zo vers in zijn systeem zat. In zekere zin zou hij ook boffen als hij snel zou sterven, want in tegenstelling tot kinderen die normaal gesproken nog tientallen jaren na de dood van hun ouders leefden, zou zijn lichaam niet zijn moeder vergeten, met wie hij zijn hele leven had doorgebracht, wier handen hem als kind hadden gewassen, gevoed, gekleed, hem op sommige dagen hadden geslagen en op andere hadden geliefkoosd; aan wier aanwezigheid in zijn leven hij zo gewend was geraakt dat hij die soms vergat, dat hij zich in haar nabijheid even alleen kon voelen als wanneer hij echt alleen was, alsof ze een en dezelfde persoon waren. Want waarom zou je zeggen dat er meer dan één persoon in een kamer is als de handen van het ene lichaam de mond van het andere voeden, wanneer de woorden door de een uitgesproken de lippen van de ander openen en doen glimlachen, wanneer het dagelijkse werk van de een ten behoeve van de ander is? Waarom zou je ontkennen dat de twee aparte lichamen geen aparte entiteiten waren maar organen van hetzelfde organisme? Hij had nu zo lang zonder zijn moeder geleefd dat hij was vergeten hoe ze eruitzag en hoe ze klonk, hij was eraan gewend geraakt dat niemand voor hem zorgde en dat hij voor niemand zorgde, maar er was geen reden om te treuren, want hij wist dat ze nog steeds vers in zijn systeem zat, dat ze veilig en wel binnen in hem was.

Dinesh haalde de sarong uit het water om te zien of de zeep was opgelost, maar kennelijk had hij daar iets te veel van gebruikt, want er zaten nog steeds gele zeepvlokken in de stof. Het water was zo zepig dat zijn vingers langs elkaar glibberden; nadat hij het water had laten weglopen liet hij de emmer opnieuw in de put zakken om hem te vullen. Terwijl hij de stukken stof in het schone water tegen elkaar wreef, waarbij hij ze wrong en uitwrong om de zeep te laten oplossen, merkte hij dat zijn ogen vol tranen liepen, dat bij elke keer dat hij knipperde de wimpers in zijn ooghoeken vochtig waren. Hij had geen idee hoe lang zijn tranen al achter zijn ogen brandden, maar zijn verstrakte wangen gloeiden en als hij zo doorging zou hij ongetwijfeld vroeg of laat in huilen uitbarsten. De druppels zout water die de traanklieren afscheidden waren als een miniem onderdeel van een enorm meer dat diep in hem verborgen was, alsof er een heel klein, geruisloos lek was gesprongen in een enorme dam en om het water weg te laten stromen hoefde hij vermoedelijk alleen maar aan zichzelf te denken en aan alles wat hij de afgelopen maanden had doorgemaakt. Hij ontspande zijn handen en liet de kleren in het water drijven; hij sloot zijn ogen en probeerde zichzelf te vermannen. De laatste keer dat hij huilde was lang geleden. Het zou hem vast goeddoen en misschien zou hij zich daardoor het verleden kunnen herinneren, waar hij zo graag meer grip op wilde krijgen, maar alles welbeschouwd kon hij daarmee beter tot later wachten. Hij was alleen maar naar de put gekomen om zich te baden en dat ook alleen maar opdat Ganga een andere indruk van hem zou krijgen, opdat ze hem zou bewonderen en zich misschien wel tot hem aangetrokken zou voelen. Daarom had hij haar alleen op de open plek achtergelaten en hij was al te lang weggebleven. Als hij nu begon te huilen, zou het moeilijk zijn om op te houden. Het was net als met plassen, poepen of een verhaal vertellen, als je eenmaal was begonnen te huilen was het onaangenaam om ermee op te houden. En in elk geval zou hij het gevoel hebben minder gevaar te lopen als hij op de open plek of daar in de buurt huilde; daar zou hij zijn tijd kunnen nemen en niet bang hoeven zijn dat iemand hem hoorde of zag. Als Ganga nog sliep, zou hij zelfs naast haar kunnen huilen, in de serene, sussende stilte van haar slaap. Hij voelde zich nu voldoende op zijn gemak om naakt naast de put te staan, maar als je huilde stelde je je kwetsbaarder op dan als je je baadde of naakt was en hij voelde zich nog te onwennig om op deze plek waar iedereen kon komen te durven huilen. Het was hier te open, en om te kunnen huilen had hij volledige beschutting nodig, zo afgelegen en zo besloten mogelijk. Het was mogelijk dat de behoefte minder werd als hij te lang wachtte, dat bij een latere poging het gevoel zelfs helemaal niet kwam en hij helemaal niet kon huilen, maar hij wist dat hij geen keus had en zo snel als hij kon terug moest gaan naar de open plek.

Dinesh kneep zijn kleren nog een laatste maal in het water uit en gooide daarna het water weg over het beton. Hij kon ze nog een keer uitspoelen, maar dat was niet nodig, want als er nog zeepresten waren, zouden die met de stof mee opdrogen en misschien voor korte tijd een lichte geur afgeven. Hij haalde de sarong uit de emmer en wrong die met beide handen zo goed mogelijk uit. Hij draaide de stof eerst naar de ene en daarna naar de andere kant en keek hoe het water er eerst rijkelijk uit liep en vervolgens in karige druppels. Hij hield de sarong voor zijn gezicht om de verse limoengeur op te snuiven en bij het voelen van zijn warme, vermoeide huid tegen de koele, net gereinigde stof, die nog niet zo lang geleden even groezelig als zijn lichaam was geweest, voelde hij een vage opwinding bij het idee dat ook hij op het punt stond een verandering te ondergaan. Hij rolde de lap uit, sloeg hem uit en hing hem over de muur van de put. Toen hij zijn hemd en onderbroek had uitgewrongen en opgehangen waren zijn handen en voeten doorweekt en zat zijn bovenlichaam onder de waterspatten. Hij stond op en liet de emmer in de put zakken. Hij wachtte tot die vol was, trok hem met snelle, ritmische rukjes op en zette hem op de rand van de muur. Op de vloer rond de put lag een kleine plastic kom; hij vulde die met het water uit de emmer en boog langzaam voorover naar zijn voeten. Even aarzelde hij, want hij wist dat als hij eenmaal met wassen was begonnen hij niet halverwege kon ophouden, en toen goot hij voorzichtig het water over zijn enkels en scheenbenen. Hij had met zijn onderbenen willen beginnen om aan het koude water te kunnen wennen, maar dat was in feite aangenaam warm, bijna heet, iets wat hem niet was opgevallen toen hij zijn kleren waste. Hij vulde de kom opnieuw en goot het water over zijn nek en schouders, voelde hoe het warme vocht langzaam over zijn stoffige rug omlaag liep. Hij legde de kom neer, tilde de emmer op en bracht die, zo zwaar als hij was, ter hoogte van zijn hals, hield hem enigszins schuin en liet het water in een gestage, afgemeten straal over zijn lichaam lopen, er zorg voor dragend dat het niet te luid spetterde. Het stroomde over zijn borst en buik en zijden, via zijn liezen langzaam langs de achterkant van zijn benen en bevochtigde zijn met bloed en zweet aangekoekte, modderkleurige huid. Hij hield de emmer boven zijn hoofd en liet het water over zijn gezicht en vette haren lopen, via zijn nek naar zijn lendenen, de binnenkant van zijn dijen, liet het tussen zijn tenen door druppelend de holten van zijn voeten kietelen voordat het van het beton af in de grond sijpelde, bruin van wekenlang bloed en viezigheid. Dinesh bewoog zijn handen over zijn dunne, natte lichaam en streelde zijn magere borst en romp alsof hij zich voor het eerst realiseerde dat hij een lichaam bezat. Hij liet de emmer nogmaals in de put neer, trok hem langzaam weer op en goot het water opnieuw kalm over zich uit, zodat hij van top tot teen nat was en hij zo lang als het uitgieten duurde in een cocon van warm vloeiend water was gehuld.

Dinesh vulde de emmer opnieuw, zette hem neer en hurkte ernaast. Met de kom in zijn linkerhand goot hij kleine beetjes water over zich uit terwijl hij zich met zijn rechterhand zorgvuldig schrobde. Hij begon met zijn voeten, reinigde de enigszins kietelige delen tussen zijn tenen met zijn wijsvinger, krabde met zijn net geknipte nagels aan de plekken net onder de knobbels van zijn enkels, waar het vuil zich stevig aan zijn huid had gehecht. Hij bewoog opwaarts naar zijn kuiten en knieën, wreef zo hard over zijn beenharen dat het daarin aangekoekte vuil oploste, helemaal omhoog naar zijn testikels en de binnenkant van zijn dijen. Laag na laag werd het vuil afgeschraapt en viel van zijn natte huid terwijl hij bleef schrobben, laag na laag van zijn zijden, oksels, en nek, van de binnenkant van zijn ellebogen en polsen. Hij wreef de slaap weg die zich in zijn binnenste ooghoeken en wimpers had opgehoopt en boende het pluis op zijn kin en wang dat stijf stond van opgedroogd zweet en vuil. Met zijn wijsvinger krabde hij aan de huid achter zijn oren, duwde hem in alle oorholten en probeerde vervolgens alle daarin opgehoopte smeer eruit te pulken. Hij peuterde in zijn navel en schraapte er al de daarin verzamelde viezigheid uit, bevochtigde daarna zijn zitvlak en trok de aan zijn bilharen opgedroogde stukjes poep los. Met zijn linkerhand schoof hij zijn voorhuid terug, kneedde tussen duim en wijsvinger het roomkleurige laagje totdat dat zacht werd en eraf viel en de roze kleur eronder tevoorschijn kwam. Dinesh vulde nogmaals de emmer en goot het warme water weer uit over zijn lichaam, langzaam, zodat alle viezigheid die hij had losgekrabd maar niet verwijderd wegspoelde, van zijn tenen, enkels, nek en armen en zijn huid brandschoon en rauw aanvoelde, als kwam die voor het eerst in contact met de lucht. Hij pakte het stuk zeep en begon zich in te zepen, beginnend met zijn voeten en daarvandaan omhoog; hij genoot van de glibberige zeep tegen zijn huid. Hij spoelde het schuim dat zich op zijn lichaam had gevormd weg en zeepte toen snel zijn haren in, eenmaal en nog eenmaal, want zijn haar was zo vet dat het de eerste keer niet schuimde. Hij overgoot nog een keer zijn hele lichaam met warm water, zwaaide met zijn armen en benen, bewoog zijn hoofd wild heen en weer om al het water eruit te schudden, hurkte en leunde uitgeput achterover tegen de gladde natte muur van de put.

Het gebied om de put was in een diepe stilte gehuld. Een dof zilverachtig licht klaarde de hemel op die betrok als er wolken langs de maan gleden. De jungle en de bomen voor hem tekenden zich helder en scherp af en elke grasspriet op de grond leek een scheermesscherpe rand te hebben, alsof de wereld rondom hem een foto was die net in de ontwikkelaar was uitgekristalliseerd. Druppels water lekten uit Dinesh' haar op zijn schouders. Ze rolden omlaag terwijl zijn lichaam langzaam in de koele lucht opdroogde en hij rilde nauwelijks merkbaar als zachte windvlagen over zijn natte huid streken. Dinesh sloeg zijn armen om zijn knieën om warm te worden en trok zijn hoofd in tussen zijn schouders, keek naar zijn zachte penis die slap tussen zijn benen hing. Die was nu fris en schoon en vrij van de stank van een zwoegend bestaan. Zijn lichaam was uiteindelijk ontdaan van alle viezigheid en huidschilfers die hem hadden bedekt, van alle smerigheid en vuiligheid, en hij was nu teer en naakt als een warme, levende kiem. Hij had zichzelf eindelijk teruggevonden, was alleen zichzelf, zonder dode of vreemde materie, slechts levende, ademende substantie, poreus en naakt. Het was alsof hij zich met het wegwassen van alles wat zich tijdens de laatste maanden op zijn lichaam had opgehoopt had bevrijd van de greep die het recente verleden op hem had, alsof met het verdwijnen van de aan zijn haren en nagels verbonden herinneringen, alles wat was gebeurd losgelaten kon worden, het heden vrij was gemaakt om eindelijk een nieuwe betekenis te krijgen, zijn rauwe, nieuwe huid uiteindelijk gereed was voor nieuwe herinneringen en nieuw leven.

6

TOEN DINESH DE veilige jungle ten noordoosten van het kamp betrad, begon hij langzamer te lopen en bij het naderen van de open plek bleef hij aan de rand ervan een moment lang in de duisternis staan. In de compacte stilte om hem heen registreerde hij hoe zijn borst snel uitzette en inkromp. Boven zijn bovenlip hadden zich straaltjes transpiratie gevormd, die zich een weg over zijn wenkbrauwen hadden gebaand en over zijn gehele lichaam vormde zich een onaangenaam laagje zweet over zijn nog vochtige, net gewassen huid. Hij had het stuk terug vanaf de put snel afgelegd. Aanvankelijk was het niet tot hem doorgedrongen, maar het baden had hem een vreemde energie gegeven, een verlangen om zijn lichaam zo actief en doelmatig mogelijk te gebruiken met het gevolg dat hij, in gedachten bij Ganga met haar op en neer rijzende borst liggend op zijn bed, met snelle, gedreven passen langs de slapende mensen in het kamp naar zijn bestemming stevende. Fysiek was hij weliswaar zwakker dan ooit in zijn korte volwassen bestaan, zijn armen en benen veel dunner dan vroeger, zijn bekken en ribben duidelijk zichtbaar door zijn huid, maar door het kamp lopend had hij zich om de een of andere reden krachtig gevoeld, of misschien niet echt krachtig, maar op z'n minst in staat tot kracht. Het liefst had hij het stuk terug willen rennen en Ganga in zijn armen nemen, zijn armen om haar heen slaan en haar laten weten dat ze in zijn aanwezigheid niets te vrezen had, dat hij voor haar zou zorgen en over haar zou waken. Zodra ze dat had begrepen, wist hij, zou alles veranderen, zou ze zich voor hem openstellen en hem aanvaarden, zou ze geen moeite meer hebben met het feit dat ze met hem was getrouwd, zou ze zelfs graag bij hem zijn, en bij deze bemoedigende gedachte ging hij steeds sneller lopen. Hij zette het nog net niet op een rennen omdat hij niet iemand wakker wilde maken of onnodig aandacht trekken, maar hij liep steeds sneller alsof hij in het geheim had gehunkerd naar wat hem ongeduldig op de open plek wachtte.

Vroeger had Dinesh af en toe ook zo'n geluksgevoel ervaren. Soms kwam dat gevoel naar aanleiding van een gebeurtenis die hij, althans op dat moment, als belangrijk had beschouwd, bijvoorbeeld bij het slagen voor een examen waar hij lang voor had gestudeerd, maar meestal waren het kleine, snel vergeten dingen die de oorzaak waren, zoals de blik van een meisje dat hij op straat passeerde. Het was een moeilijk uit te leggen sensatie, maar hij herkende haar aan een opzwellend gevoel in zijn borstkas, aanvankelijk een beetje, maar allengs steeds meer tot die op barsten leek te staan alsof zijn ribbenkast iets tegenhield dat op het punt stond uit te breken en de aarde te overspoelen. Dan keek hij vol ongeloof naar de scheermesscherpe intensiteit die alle dingen om hem heen hadden verkregen en voelde hij zich als het ware opgetild uit zijn omgeving, uitgezeefd uit het kleine deeltje van de wereld waarin hij was opgenomen, voor een kort moment bewust gemaakt van een grotere, van hem onafhankelijke wereld, een wereld die hij op de een of andere manier in zijn geheel mocht omvatten. Het behoefde geen betoog dat hij nog nooit enig idee had gehad hoe een dergelijke omvatting tot stand gebracht kon worden; niets wat hij op dergelijke momenten kon verrichten leek in overeenstemming met wat hij voelde, geen enkele handeling waartoe hij in staat was reflecteerde of schraagde dat. Als hij had gekund zou hij zonder te stoppen de aarde rond zijn gerend, snel genoeg om de gehele wereld in zijn armen te omvatten; als hij had gekund zou hij zich door de grond heen een weg naar het middelpunt van de aarde hebben gegraven, maar kennelijk was zijn lichaam te zwaar en te plomp en waren zijn armen en benen niet tot de vereiste bewegingen in staat. Hoe hij ook op dergelijke momenten zijn best deed een bezigheid te vinden waardoor hij zichzelf volledig kon ontplooien, altijd weer eindigde hij onverrichter zake met als gevolg dat het geluksgevoel dat hem had overweldigd langzaam begon af te nemen en hij met treurige onvermijdelijkheid terugkeerde naar de kleine, gewone wereld waar hij normaal deel van uitmaakte terwijl er van de grootse vooruitzichten die hij korte tijd had gezien slechts een vervagende glans overbleef.

Met zijn hand raakt hij de gladde stam van de dichtstbijzijnde boom aan en leunde voorover zodat hij het koele schors tegen zijn wang kon voelen. Ditmaal had hij wel een idee gehad van wat hem te doen stond: hij moest, wist hij, naar Ganga gaan, haar omhelzen en haar zijn gevoelens tonen zodat ze hem uiteindelijk zou accepteren. Maar nu hij hier aan de rand van de open plek stond, in zijn kleren die niet langer dropen maar, vochtig als ze waren van het wassen, zwaar om zijn schouders en middel hingen en aan zijn rug en benen plakten, begon hij in te zien dat dit een onrealistisch plan was en misschien wel volstrekt onmogelijk. Achter de varens voelde hij het effect van Ganga's nog niet geheel vertrouwde tegenwoordigheid op de vertrouwdere aanwezigheid van de rots, het aarden bed en de rand van steentjes en kiezels. Hoe zouden ze, na zo lang van elkaar weg geweest te zijn, op elkaar reageren? Zouden ze in staat zijn hun gehuwde staat weer op te nemen waar ze hem onderbroken hadden, of zouden ze helemaal opnieuw moeten beginnen? Vermoedelijk lag Ganga nog te slapen, en als ze wakker was, zou ze waarschijnlijk niet in de stemming zijn om te luisteren naar wat hij te zeggen had, zou ze waarschijnlijk opnieuw te zeer van streek of te gereserveerd zijn om te praten. Er was een grote kans dat zijn aanwezigheid en zijn pogingen een gesprek aan te knopen haar zouden ergeren, zoals toen ze na de voltrekking van het huwelijk naar de open plek waren gegaan, en anders zou ze hoe dan ook er geen belang bij hebben om aandacht aan hem te besteden, om het even of hij wel of niet had gebaad. En zelfs als het kleine beetje vertrouwen dat ze hadden opgebouwd in de paar uur die ze samen wakend hadden doorgebracht nog intact was, hoe zou hij haar dan deelgenoot kunnen maken van zijn verlangens, gezien de situatie waarin ze zich bevonden? Het leek wel alsof hij was vergeten dat Ganga's moeder en broer pas twee weken geleden waren gestorven en dat haar vader haar nog maar net in de steek had gelaten. Zelfs als ze nu in tegenstelling tot eerder wel met hem zou willen praten, zou ze dan in de stemming zijn om te luisteren naar de gevoelens die hij tot uitdrukking wilde brengen, en trouwens, hoe moest hij beginnen?

Een lichte bries streek over het gebladerte en de bladeren rondom de open plek trilden licht en vielen toen stil. Dinesh liet de stam die hij vasthield en waarin hij zonder het te weten hard kneep los en diep inademend strekte hij zijn armen uit in een poging zijn lichaam te ontspannen. Misschien had zijn bezorgdheid niets te maken met de omstandigheden waarin Ganga en hij getrouwd waren. Misschien was dat gevoel eigenlijk heel gewoon en normaal, zou hij dat ook ervaren hebben als ze elkaar in een gewoon leven hadden ontmoet. Misschien had het niets te maken met het feit dat ze allebei gescheiden waren van hun familie en thuis, beroofd van alles wat ze ooit bezeten hadden, bij elkaar gebracht zonder enige echte reden terwijl overal om hen heen granaten werden afgeschoten en lichaamsdelen her en der bij tientallen tegelijk afvielen. Misschien was die gespannenheid niet zo anders van hoe hij zich voelde toen hij nog op school zat en hij om wat voor reden ook in de gelegenheid was om met een van de knappe leerlingen van de nabijgelegen meisjesschool een praatje te maken. Misschien was wat hij voelde de gewone, normale nervositeit van een jongen die op het punt staat een meisje te ontmoeten.

Dinesh ademde nogmaals diep in en deed enkele stappen op de open plek. Hij zorgde ervoor de grotere planten niet te vertrappen en op zijn tenen staand probeerde hij over de varens heen een glimp op te vangen van het aan het oog onttrokken bed. In het schijnsel van het blauwe licht dat door de opening in het gebladerte viel lag Ganga rustig te slapen. Met haar wang tegen de sari gedrukt die ze eerder over het zeil had uitgespreid en haar linkerarm uitgestrekt achter haar hoofd nam ze slechts een klein deel van het bed in beslag. Ze was zo mogelijk nog dieper in slaap dan toen hij wegging en waarschijnlijk had ze zijn afwezigheid helemaal niet opgemerkt. Maar ze kon natuurlijk wakker worden als hij haar naderde en het was beter als hij kon uitleggen waar hij vandaan kwam. Hij kon zeggen dat hij had moeten plassen en niet erg lang was weggeweest, maar dan zou ze misschien merken dat zijn kleren vochtig waren en een stuk schoner dan daarvoor, en ook de limoengeur ruiken. Misschien kon hij toegeven dat hij zich had gebaad, maar zeggen dat het een pomp dichtbij was in plaats van helemaal bij de kliniek. En dan was er ook nog het probleem of hij wel of niet het gebruik van de zeep en de schaar moest toegeven, of dat hij ze stiekem in de tas moest terugstoppen en doen alsof hij er helemaal niets uit had gepakt. Maar met Ganga nu eindelijk vlak voor hem had Dinesh geen zin zich om al deze kwesties te bekommeren en, na nogmaals diep ingeademd te hebben, stapte hij met vier grote, soepele passen over de planten en bleef voor het hoofdeinde van het bed staan. Ganga bewoog een beetje en trok haar uitgestrekte arm naar omlaag. Met haar ogen nog steeds gesloten fronste ze haar wenkbrauwen als in verbazing of afkeuring, knipperde een paar maal en deed toen langzaam haar ogen open. Ze keek allereerst naar Dinesh' voeten, die recht naast haar hoofd stonden, toen naar zijn dijen en vervolgens naar zijn gezicht. Ze staarde hem enige tijd aan met een blik van lichte verwarring alsof ze hem niet thuis kon brengen. Ineens was Dinesh bang dat ze zich helemaal niet zou herinneren dat ze getrouwd waren, maar toen kwam Ganga een beetje overeind, keek naar de sari waarop ze lag, naar de tas, de potten en pannen aan het voeteneinde en de bomen om hen heen, en langzaam brak een blik van herkenning door. Ze keek weer omhoog naar Dinesh.

Waar ga je heen?

Ze sprak nogal hard, alsof ze, wel wetend waar ze was, zich niet bewust was van de tijd.

Nergens heen, fluisterde Dinesh; hij dempte zijn stem om duidelijk te maken dat ze niet te hard moesten praten. Ik moest naar de wc.

Hij deed zijn slippers uit en hurkte aan het voeteneinde. Ganga trok haar voeten weg, ofwel om afstand van hem te houden ofwel om hem meer ruimte te geven. Ze schoof over het bed achteruit om steun te zoeken tegen de rots en begon de slaap uit haar ogen te wrijven.

Het spijt me dat ik je wakker heb gemaakt. Ik heb geprobeerd zo stil mogelijk te zijn.

Ganga bleef met langzame, rondgaande bewegingen in haar ogen wrijven. Ze gaf een slap knikje om aan te geven dat hij zich niet hoefde te verontschuldigen, en begon toen met haar duimen haar voorhoofd en wangen te masseren.

Heb je goed geslapen? Je was zeker heel erg moe, want meteen nadat we uit het kamp terug waren ben je in slaap gevallen.

Ganga legde haar benen languit op het bed en haalde haar schouders op.

Dat zal wel.

Ze strekte haar armen en gaapte even, vervolgens sloeg ze haar handen ineen op haar schoot en keek voor zich uit in de donkere jungle voor haar. Dinesh bestudeerde haar vanuit zijn nogal ongemakkelijke gehurkte positie aan het voeteneinde. Haar lange rug was gracieus gebogen, ondanks het feit dat ze nog maar net wakker was en haar ogen waren wijd open. Haar blik was op een enkel punt tussen de bomen gericht, alsof ze bij een bepaald feit stilstond of zich een detail wilde herinneren. Het kon niet later dan middernacht of één uur zijn, maar ze leek niet van plan om weer te gaan slapen. Ze had in totaal niet meer dan drie of vier uur geslapen en het zou begrijpelijk zijn geweest als ze nog meer slaap nodig had gehad, maar misschien had ze, althans om uit te rusten van de ergste vermoeidheid, genoeg aan drie of vier uur, en misschien wilde ze, nu ze eenmaal wakker was, wakker blijven en met hem praten.

Wil je wat drinken?

Ganga keek Dinesh enigszins verbaasd aan, en knikte toen. Dinesh keerde zich om naar de lichtbruine tas, zakte op zijn knieen en vooroverbuigend ritste hij het hoofdvak open. Terwijl hij deed of hij in de tas zocht naar de plastic fles met water die hij eerder op de avond bij het doorzoeken had gezien, pakte hij zo onopvallend mogelijk de zeep en de schaar uit zijn hemdzak, niet alleen de zeep en de schaar maar ook het pakje met zijn haar en nagels, ritste het zijvak open en stopte daar stiekem alles in. Vervolgens haalde hij de fles uit het hoofdvak, draaide zich weer naar Ganga en overhandigde die haar zonder veel plichtplegingen. Ze aarzelde even voordat ze haar hand uitstak om hem aan te pakken en Dinesh besefte de vergissing die hij had gemaakt. Natuurlijk had hij, nu ze getrouwd waren, in zekere zin recht om ongevraagd haar tas open te maken, maar dat in Ganga's aanwezigheid te doen zonder haar toestemming te vragen voelde als een gewelddaad, alsof hij niet erkende dat de tas meer haar dan zijn eigendom was. Dinesh vroeg zich af hoe hij zich moest verontschuldigen of een uitleg geven, maar voordat hij de kans kreeg, leunde Ganga zonder iets te zeggen naar voren en nam de fles van hem aan. Ze schroefde de dop los met haar lange elegante vingers, en terwijl ze de fles omhoog en zo schuin hield dat de opening boven haar mond maar niet in contact met haar lippen was, liet ze het water in een voorzichtig straaltje over haar tanden en tong lopen, langzaam omlaag haar keel in. Ze liet de fles zakken, hield hem weer omhoog, nam nog een slok en schroefde toen de dop er weer stevig op. Ze zette de fles op de grond rechts van haar, keek Dinesh even aan en keek toen weer omlaag in haar schoot.

Dinesh ging niet terug naar de plek waar hij daarvoor had gezeten, maar schuifelde achteruit naar de rots en leunde ertegenaan, een kleine meter links van Ganga. Zeker wist hij het niet, maar ze leek niet zozeer gekwetst of boos over wat hij had gedaan als wel verbaasd of ietwat onthutst, alsof ze zich door zijn handeling beter rekenschap gaf van haar situatie dan toen ze net wakker was. In haar ogen stond een vage treurigheid, maar die verschilde niet wezenlijk van wat hem was opgevallen voor ze trouwden, wanneer hij haar in de kliniek in haar eentje aan het werk zag of wanneer ze voor de tent van haar vader haar haar zat te kammen; die treurigheid, meende Dinesh, had minder te maken met het feit dat hij haar tas had geopend of dat ze nu getrouwd waren dan met een algehele teleurstelling in de wereld.

Haar aankijkend vroeg hij zachtjes:

Wil je weer gaan slapen?

Ganga keek omhoog naar hem en toen weer omlaag naar haar handen. Als ik eenmaal wakker ben, kan ik niet meer slapen. Ik slaap trouwens nooit lang, meestal maar een paar uur.

Dinesh aarzelde even en zei toen:

Slaap je overdag?

Ze schudde haar hoofd.

Ben je dan niet moe?

Ze haalde haar schouders op, nog steeds omlaagkijkend. Dat hangt ervan af. Meestal ben ik 's avonds doodmoe van het werken in de kliniek, en dan is het niet moeilijk om in slaap te komen. Verder voel ik me niet echt moe. Vandaag heb ik niet in de kliniek gewerkt, maar ik was moe omdat ik de nacht hiervoor helemaal niet heb geslapen.

Er viel een korte stilte, maar voordat Dinesh haar om verdere uitleg kon vragen, keek ze snel op uit haar schoot en zei:

Heb jij geslapen?

Gisternacht of vannacht?

Vannacht.

Hij schudde zijn hoofd. Nee.

Ik kan opstaan, als jij even wilt slapen, zei ze vooroverbuigend alsof ze overeind wilde komen.

Nee, laat maar. Ik heb moeite om in slaap te komen.

Dinesh, enigszins verlegen dit te erkennen, probeerde te bedenken wat hij nog meer kon zeggen; hij klopte op de rots achter hem als om te laten zien hoe solide die was. Trouwens, terwijl jij sliep, heb ik tegen de rots kunnen uitrusten. Ik ben dus niet moe.

Ik vind het niet erg om op te staan.

Het is goed zo. Maak je geen zorgen.

Ganga leunde achterover tegen de rots en terwijl hij deed alsof hij voor zich uit keek, probeerde Dinesh haar vanuit zijn ooghoeken te bestuderen. Haar paardenstaart was tijdens het slapen enigszins uitgezakt. Opzij van haar gezicht hingen wat slordige slierten haar, dat niet meer zo strak om haar hoofd was getrokken en ook haar gezicht leek soepel en elastischer dan voorheen, vooral wanneer ze praatte. Haar zinnen waren kort en ze sprak nog steeds langzaam en op een bepaalde manier onverschillig, maar de stem was niet meer zo lusteloos als eerder op de dag en ze klonk ook niet meer zo afstandelijk. Wat ze nu zei leek op de een of andere manier meer gerelateerd aan haar gezichtsuitdrukking alsof ze ondanks haar bedroefdheid toch in staat was zich bewust te zijn van de woorden die uit haar mond kwamen.

Ganga gaf een klap in haar nek. Ze krabde de plek een tijdje heel hard en leunde toen voorover om haar enkels te krabben.

Ben je in je slaap door muggen gebeten?

Ze knikte, stopte niet om op te kijken.

Dat is het enige probleem van deze plek. Het wemelt van de muggen in de jungle. In het kamp heb je daar tenminste geen last van.

In het kamp zijn ook muggen. Het enige verschil is dat daar zoveel mensen zijn dat de muggen zich niet op één persoon hoeven te storten.

Dinesh wist niet goed wat hij daarop moest zeggen; verzittend schoof hij met zijn rug langs de rots en mijmerde even over de zachte droge mossen tegen zijn onderrug.

143

Ik herinner me dat ik aan de rand van het kamp een neemboom heb gezien. Ik kan wat pitten verzamelen om te verbranden. Dat houdt de muggen weg.

Ganga stopte haar handen onder haar dijen en leunde weer van de rots vandaan voorover, kennelijk te zeer in gedachten verzonken om op zijn voorstel te reageren. Ze staarde lange tijd naar de bomen voor haar, alsof ze iets in het donker kon onderscheiden en keerde zich weer naar Dinesh.

Waar ga je heen tijdens de beschietingen? Blijf je hier?

Nee. Hoofdschuddend wees hij naar het oosten. Vijf minuten hiervandaan ligt een omgekeerde boot; waarschijnlijk door een of andere visser naar de jungle gesleept om hem niet op het strand achter te laten. Meestal kruip ik daaronder. Hij is vrij groot, we kunnen er gemakkelijk allebei onder.

Is hij stevig genoeg om je tegen granaatscherven te beschermen?

Ja, het hout is heel dik. In de jungle zijn granaatscherven trouwens niet zo'n probleem vanwege alle bomen. Maar als je wilt, kunnen we er morgen een schuilgang onder graven, voor het geval dat.

Daar kunnen we morgen over denken.

Dat is misschien best een goed idee. Ik kan het alleen doen, 's ochtends; zo moeilijk is het niet.

Ganga knikte instemmend, alsof ze het een acceptabel of zelfs aangenaam voorstel vond. Ze veegde enkele haren die voor haar gezicht waren gevallen weg en stopte toen haar handen weer onder haar dijen. Ze bewoog haar lichaam op een soepele wijze waardoor ze meer op haar gemak leek dan eerder op de dag, meer ontspannen, minder op haar hoede. Ook Dinesh voelde zich meer op zijn gemak en maakte zich niet langer zorgen over of ze hun huwelijkse staat weer helemaal van voren af aan moesten beginnen. Het leek wel of ze in de korte tijd dat ze van elkaar gescheiden waren geweest, eigenlijk naar elkaar toe waren gegroeid, meer begrip voor of besef van elkaar hadden gekregen. Misschien was er een diepere onderlinge affiniteit blootgelegd, misschien was het feit dat ze zich nu meer op hun gemak voelden een teken van een verstandhouding die er altijd al tussen hen was geweest, al besefte Dinesh dat dat onwaarschijnlijk was. Want hoe aangenaam het ook was om deze mogelijkheden te overwegen, de eigenlijke verklaring was waarschijnlijk veel banaler. Per slot van rekening verliep ook in het gewone leven de tweede keer dat je een nieuw iemand ontmoette altijd veel soepeler, de derde soepeler dan de tweede keer, enzovoort, ook al was er van een werkelijke verandering in de tijd tussen de ontmoetingen geen sprake. Het was in die tussentijd dat het lichaam vertrouwd raakte met het nieuwe en onbekende van de ander, met zijn geur en verschijning, zijn manier van praten, zijn doen en laten; tijdens de perioden dat ze niet bij elkaar waren modelleerden de spieren en zenuwen van de een zich naar die van de ander, stemden ze zich op elkaar af, zodat er ineens veel minder ongemak of moeite was als de twee lichamen elkaar weer ontmoetten. Om iemand te leren kennen waren de perioden die je gescheiden van elkaar doorbracht even belangrijk als die je samen doorbracht, en waarschijnlijk vlotte het daarom nu beter tussen hen en niet omdat ze op de een of andere manier voor elkaar bedoeld of bestemd waren.

Op hun zachte in- en uitademing na, die van Ganga licht en regelmatig, die van Dinesh dieper en wat sneller, was het stil. De ritmes van hun op- en neergaande borst begeleidden elkaar rustig in parallelle bewegingen, kruisten elkaar af en toe als ze uit de maat raakten waarna ze weer geleidelijk bij elkaar aansloten. Dinesh veegde de kleine zweetdruppeltjes die zich op zijn voorhoofd hadden gevormd weg en streek met zijn hand over zijn haar, dat nog altijd koel en vochtig van het baden was. Ook al waren ze wat meer aan elkaar gewend geraakt, ook al had het feit dat ze zich beiden meer met elkaar op hun gemak voelden niets opmerkelijks en was dat zelfs voorspelbaar, toch kon hij het niet nalaten te hopen dat dit zou leiden tot een dieper en intiemer contact tussen hen.

Dinesh schoof wat meer naar Ganga op en neigde naar haar toe zodat ze nu op ongeveer een halve meter van elkaar af zaten.

Werk je elke dag in de kliniek?

Ganga keek op naar hem en toen weer omlaag.

Meestal. Wanneer ik kan.

Ik heb je er een- of tweemaal gezien. Ik ben ook een paar keer gaan helpen, maar alleen meteen na beschietingen, om te helpen bij het vervoer van de gewonden. Ik kan me niet voorstellen dat ik elke dag in de kliniek zou werken. Het is zeker heel zwaar werk, hè, met al dat bloed en zo? Je bent vast en zeker iemand die heel veel voor anderen doet.

Ganga trok haar handen onder haar dijen vandaan en klemde ze nu weer netjes op haar schoot ineen. Ik ga daar alleen maar naartoe omdat ik het prettig vind, zei ze zonder op te kijken. Het is goed om iets omhanden te hebben, wat het ook is, dat is altijd beter dan moeten wachten.

Ga je daar voor afleiding heen?

Ganga opende haar mond om iets te zeggen. Dinesh wachtte, maar in de stilte die volgde bleef ze met haar hoofd schuin naar één kant opzij alleen maar naar haar handen staren, niet alsof ze niet had gehoord wat hij had gezegd, maar alsof zijn vraag geen echte vraag was geweest, of alsof haar zwijgen het antwoord was. Haar lippen bleven even geopend en sloten zich toen. Naar rechts opzij leunend pakte ze een kiezel uit de rand op en rolde die geluidloos tussen haar handen.

Dinesh wilde verschrikkelijk graag iets zeggen, maar hij aarzelde. Hij wilde Ganga's zwijgen beantwoorden door er op de een of andere manier in te berusten, door de betekenis ervan te erkennen, maar tegelijkertijd leek het een misplaatst idee om dat zwijgen met praten te onderbreken. Natuurlijk had er al eerder een stilzwijgen tussen hen beiden geheerst, de keer na de huwelijksvoltrekking toen ze als aan de grond genageld hadden gestaan, de eerste keer dat ze op de open plek naast elkaar hadden gezeten, en de keer dat ze daarna in het kamp samen de maaltijd hadden genuttigd, maar dit was een ander soort zwijgen. Daarvoor was het een zwijgen geweest zoals dat voorkomt tussen mensen die in verschillende werelden leven. Het zwijgen zoals tussen de mensen in het kamp, zoals tussen twee mensen die gescheiden zijn door een ondoordringbare muur. Daarentegen was dit zwijgen van het soort dat hen eerder verbond dan scheidde. Het bezette de lucht tussen hen zo volledig dat de minste beweging onmiddellijk door de ander werd waargenomen, zodat hun lichamen als het ware zweefden in een buiten de tijd staand medium.

Boven hen lichtte de hemel op toen een dikke wolkenmassa de maan achter zich liet die alles bescheen wat tot nu toe in het duister verborgen was gebleven. De blauw met paarse stof van de sari glom dof onder hen en voor hen werd het groen van de varens en het grijs en bruin van de bomen vaag zichtbaar.

Dat is ook de reden waarom ik naar de kliniek ga, zei Dinesh zachtjes. Ook al praat je met niemand, het is goed om af en toe voor andere mensen te zorgen en om iets te doen te hebben.

Ganga's gezichtsuitdrukking veranderde niet maar ze rolde de kiezel niet langer heen en weer en die lag nu roerloos in haar handpalm. Ze staarde er een tijdje onbewogen naar en legde hem toen terug op zijn plek in de sierrand. Ze keek naar Dinesh terwijl ze naar de rand gebaarde.

Was die er al?

Wat bedoel je?

Lagen de stenen al zo toen je hier kwam?

Hij schudde zijn hoofd. Nee, dat heb ik gedaan, om een afscheiding te maken. Ik kwam op het idee toen ik bezig was alle steentjes en kiezels uit de grond te halen.

Ganga wees naar de hoop aarde aan het hoofdeinde van het bed. En is dat ook jouw werk?

Hij knikte. Die heb ik van aarde gemaakt, als hoofdkussen.

Wat grappig dat je zoveel werk van een slaapplek hebt gemaakt terwijl je niet kunt slapen.

Dinesh keek Ganga even aan en daarna omhoog naar de bomen aan de rand van de open plek. De lucht verduisterde toen er opnieuw wolken voor de maan langs trokken en de bomen en alles om hen heen weer hun zwarte en blauwe kleuren terugkregen waardoor ze niet meer van elkaar te onderscheiden waren.

Opnieuw stilte op hun ademhalingen na, die nu iets meer bij elkaar leken aan te sluiten, de hare iets sneller, iets dieper dan eerder, de zijne iets langzamer, iets luchtiger. Boven hun hoofd zweefde het vage gezoem van een mug en stierf weg in het donker.

Hoe komt het dat je niet kunt slapen?

Dinesh wierp een blik op Ganga, die hem onderzoekend aankeek, en richtte toen zijn blik weer snel op de bomen.

Geen idee. Ik ga liggen, doe mijn ogen dicht maar om de een of andere reden val ik niet in slaap.

Slaap je helemaal niet?

Dinesh voelde hoe Ganga's ogen op hem gericht waren, hem observeerde, maar hij deed zijn best zijn blik op de duisternis voor hem gericht te houden. Niet dat hij bang was dat Ganga, als ze hem in de ogen keek, zou beseffen hoezeer hij had geleden onder de afgelopen maanden, want dat had ze zeer waarschijnlijk al opgemaakt uit het feit dat hij niet kon slapen en uit de gêne die nu op zijn gezicht te lezen stond. Tot op zekere hoogte kon hij het verdragen als ze hem een zielige stumper vond, prettig was dat niet, maar daar kon hij niets tegen doen, maar hij kon het niet opbrengen om haar in de ogen te kijken terwijl zij zo over hem dacht; het was zoiets als wanneer je iemand die onverwachts binnenkomt terwijl jij je staat uit te kleden, op dat moment onmogelijk kunt aankijken, ook al staat hij pal voor je. Op een dergelijk moment liet oogcontact je geen andere keus dan jezelf door de ogen van de ander te zien, dingen van jezelf te erkennen waarvoor je je schaamde en die je tot dan toe voor jezelf had verdoezeld of genegeerd en daarom was het in zo'n situatie noodzakelijk om iemands ogen te vermijden nog voordat je je naaktheid probeerde te bedekken. Dinesh liet zijn hoofd hangen. Hij staarde naar zijn schoot.

Nee, antwoordde hij kalm.

Boven hen lichtte de hemel geluidloos op en betrok daarna opnieuw. In de hen omringende stilte schoot een hoog, trillend gezoem voor hun hoofden langs. Dinesh voelde een lichte steek achter in zijn nek, maar hij verroerde zich niet, omdat hij niets wilde verroeren, zelfs niet een hand opheffen. Hij beleefde de steek van de mug zo merkwaardig intens dat hij zich duidelijk bewust was van het roerloze lichaam van Ganga naast hem, alsof ook zij zich gedwongen voelde zich niet te bewegen. Toen hij nog geen een of twee uur eerder over haar heen gebogen had gestaan met zijn gezicht op slechts enkele centimeters van haar huid en zo graag had willen begrijpen wie ze was, had hij haar zelfs geen seconde durven aan te raken, uit angst dat ze onwerkelijk zou blijken te zijn, namaak of een soort illusie. Maar nu hij zo naast haar zat, leek hij voor de eerste keer sinds hun kennismaking er zeker van te kunnen zijn dat hij haar kon aanraken en echt de warmte van haar huid zou kunnen voelen.

Het stekende gevoel in zijn nek bereikte een hoogtepunt en gewichtloos vloog de mug weg. De scherpte van de prik werd minder, maar Dinesh bleef zitten, volledig roerloos tegen de rots.

In het verleden had hij ook dit merkwaardige verlangen naar roerloosheid gekend, niet vaak, maar wel meer dan een of twee keer. Dan zat hij 's avonds laat met een of twee vrienden aan de rand van het dorp, met gekruiste benen op de grond, terwijl de steeds donkerder wordende blauwe lucht zich ver voor hen uitspreidde. Hij zou niet meer weten waarover ze het bij die gelegenheden hadden, maar op sommige momenten, herinnerde Dinesh zich, verzandde hun gesprek, leek alles wat ze te zeggen hadden om een of ander merkwaardig ondefinieerbaar onderwerp te draaien, om een beeld of een idee dat ze wel aanvoelden maar niet onder woorden konden brengen. Al hun vragen, antwoorden, stiltes en reacties, al hun aanmerkingen, twijfels en commentaren, elk woord dat ze op dergelijke momenten uitten, dat alles voelde aan als een voorzichtige poging dichter in de buurt van dit onderwerp te komen. En zo leek hun gesprek, dat ze aarzelend en intuïtief onderbraken en weer hervatten, te cirkelen om dit beeld of idee dat ze aanvoelden maar niet konden benoemen. Het gesprek kwam er steeds dichter in de buurt, bewoog zich behoedzamer en nerveuzer naarmate het er in steeds kleinere cirkels omheen draaide, totdat uiteindelijk, terwijl ze stuk voor stuk volledig in het gesprek opgingen, met de grootste behoedzaamheid iets werd gezegd wat niet dichter in de buurt kon komen van wat ze zochten. Als een dergelijk punt was bereikt, konden ze het bijna instinctief voelen, ook al konden ze wat ze hadden gevonden niet benoemen of tastbaar maken. Het was alsof ze al die tijd niet zozeer naar een beeld of idee maar naar een gemoedstoestand hadden gezocht, een gemoedstoestand die zich al vanaf het eerste begin vaag had gemanifesteerd als een manier om samen te komen, om vanuit hun afzonderlijke werelden te stappen op een niveau waar ze elkaar gedurende een kort moment volledig zouden herkennen en begrijpen. Als zo'n gesprek hen ten slotte in die gemoedstoestand had gebracht, als dat was gelukt, kwam er altijd een moment waarop niets meer gezegd, zelfs geen beweging meer gemaakt kon worden. Want net zoals men een vlinder, die zich zo licht neerzet op een grasspriet dat deze slechts even trilt maar niet doorbuigt, maar tot op een zekere afstand kan benaderen, voordat hij trillend zijn gewichtsloze vleugels dichtvouwt en huivert, waarna het geringste geluid, een ademzucht of een krakend gewricht, voldoende is om hem stilletjes weg te laten vliegen, zo ook beseften zij dat het eerste het beste simpele woord of gebaar deze gemoedstoestand die ze met zoveel geduld, inspanning en verlangen hadden nagestreefd, kon verstoren en hen opnieuw achterlaten in hun eigen afzonderlijke wereld, waarin eenieder opnieuw alleen was.

De gemoedstoestand die hen bijeenhield duurde natuurlijk nooit erg lang; of hij eindigde geleidelijk aan of werd afgebroken of onderbroken door een interruptie van buitenaf; vroeg of laat zou dat ook hem en Ganga overkomen, wist Dinesh, tenzij ze een andere manier vonden om de gemoedstoestand te handhaven, een manier die hen en de lucht tussen hen in staat stelde vrijelijk te bewegen. Eén verkeerd geluid of verkeerde beweging kon de broze balans die ze al hadden bereikt vernietigen, hen weghalen uit de wereld die ze gevonden hadden, maar het was hoe dan ook, bedacht Dinesh, beter om de kans op volledige verwoesting te riskeren in een poging de balans te handhaven dan haar uit zichzelf te laten verdwijnen. Met nog steeds ingehouden adem schoof hij een heel klein beetje op naar Ganga, zodat hun schouders elkaar vluchtig raakten. Hij strekte zijn gebogen knieën en nu lagen hun benen parallel en raakten hun kuiten elkaar. Tegen zijn rug die kaarsrecht tegen de rots leunde, voelde hij de koelte van het gedeelte waar hij zojuist tegenaan was gaan zitten, evenals onder zijn dicht tegen elkaar geklemde knieën de verse koelte van het stuk sari waarop hij net plaats had genomen. Opnieuw verstarde hij ter plekke. Hij voelde Ganga's verstijving naast zich, haar lichaam ook volledig roerloos, zo mogelijk nog roerlozer dan ervoor, terwijl haar borst nauwelijks op- en neerging alsof ook zij het doel van wat hij had gedaan begreep. Het was onduidelijk wat ze daarvan vond, enerzijds omdat ze op geen enkele manier blijk gaf zich van zijn gebaar bewust te zijn, maar er anderzijds niets tegen inbracht. Hij wilde niet tegen haar zin te dicht bij haar komen, hij wilde haar niets tegen haar zin laten doen, en als hij wilde kon hij zich nog altijd terugtrekken omdat hij haar per slot van rekening nog niet echt aangeraakt had en hij haar al helemaal nooit opzettelijk aangeraakt had. Maar misschien wilde ze wel dat hij haar aanraakte, misschien was ze inmiddels wel op hem gesteld geraakt, vond ze het nu hij zich gebaad had gemakkelijker om in zijn nabijheid te zijn, vond ze hem misschien zelfs aantrekkelijk. Deze mogelijkheid leek reëler naarmate ze langer naast hem bleef liggen zonder zich te bewegen, want tenslotte had ze werkelijk geïnteresseerd geleken toen ze met elkaar praatten, had ze hem uit zichzelf vragen gesteld alsof ze echt met hem wilde praten en misschien verroerde ze zich alleen maar niet omdat ze op van de zenuwen was, omdat ze gewoon niet wist wat ze moest doen.

Ganga's handen lagen halfgeopend naast elkaar in haar schoot, de vingers losjes met elkaar verstrengeld, en toen Dinesh ze vanuit zijn ooghoeken zag bewoog hij instinctief zijn rechterhand naar haar schoot. Hij nam de duim van haar linkerhand tussen zijn wijsvinger en duim en omklemde die stevig maar voorzichtig zoals je een nieuw blad papier aan een hoek ophoudt om het niet vies te maken met je groezelige handen. Het topje van haar duim, zo klein en volmaakt, lag slap tussen zijn vingers. Het was een vreemde gewaarwording contact te hebben met iets wat zo autonoom leefde, iets zo kostbaars roerloos in zijn hand te hebben. Hij streelde het zo teder mogelijk. Hij bewoog zijn vingertoppen over haar harde, gladde nagel, over de complexe groeven in de huid die haar vingerafdruk vormden en hij probeerde te voelen hoe haar bloed kalm door de dunne onderhuidse aderen klopte. Hij ontvouwde zijn andere vingers en legde die om de rest van haar hand, zodat haar hand nu volledig werd omvat door de zijne en plotseling verslapte zijn lichaam als een strakgespannen elastiek dat net is doorgeknipt. Onverwachts voelde Dinesh hoe zijn borstkas, die hij, hij wist niet hoe lang, had tegengehouden, inzakte en de lucht uit zijn longen wegliep, alsof de door hun gesprek gecreëerde gemoedstoestand niet langer door roerloosheid ondersteund hoefde te worden, alsof de lucht om hen heen eindelijk weer in beweging mocht komen, net zoals de stellage tussen twee muren mag worden weggehaald als het dak geplaatst is. Naast hem ging ook Ganga's borstkas neer, toen op en weer neer, precies op maat met de zijne en ze nu als het ware, nadat ze heel even ervoor waren gestopt met ademen, unisono konden ademhalen zolang ze met elkaar in contact bleven.

Dinesh keek naar Ganga. Ze hield haar hoofd omlaag zodat hij niet kon zien of haar ogen open of dicht waren, maar haar wenkbrauwen waren ontspannen als boeien die op een diepe, kalme zee dreven. Zonder zijn ogen van haar weg te nemen kneep hij heel zachtjes in haar hand, om er zeker van te zijn dat die er echt nog steeds was ook nadat haar spieren zich hadden ontspannen, maar onmiddellijk verslapte hij zijn greep, alsof de minste druk haar zou kunnen beschadigen. Het was vreemd om te bedenken dat de hand die hij vasthield behoorde bij het gezicht waar hij naar keek. Die hand voelde zo bijzonder in zijn hand, zacht en warm, tegelijk levend en roerloos, heel anders dan de hand van de kleine jongen die hij die ochtend had gezien. Zwijgend trok Dinesh met zijn vinger een streep over Ganga's hand, vanaf haar duim zachtjes over de ader die over de binnenkant van haar pols liep. Hij volgde de kalme pulsatie over haar lange, slanke arm, over het litteken dat een hapering vormde in de huid die voor de rest even glad was als een net gekocht stuk zeep, tot zijn vingertop afdaalde in de holte van haar elleboog en daar bleef liggen. Ganga hield haar ogen dicht, maar geluidloos gingen haar lippen vaneen. Dinesh nam haar beide handen in zijn linkerhand en zijn rechterarm over haar hoofd heen achter haar rug om brengend legde hij die voorzichtig op haar rechterschouder. Na een korte aarzeling trok hij haar dichter naar zich toe terwijl hij tegelijkertijd verder naar haar opschoof en hield hun lichamen zo tegen elkaar dat hun dijen en ook hun kuiten tegen elkaar drukten. Aanvankelijk bleef Ganga slap, reageerde ze niet, maar toen neigde ze haar hoofd naar hem toe en liet het op zijn schouder rusten, de kruin van haar hoofd tegen zijn oor en wang, waarbij ze met haar hoofd zo tegen de zijkant van het zijne drukte dat ze zich in hem leek te willen begraven. Dinesh liet zijn rechterhand van haar schouder over de welving van haar rug omlaag glijden naar haar onderrug, en naar voren leunend legde hij zijn linkerarm om haar rechterschouder en omvatte zo haar lichaam met zijn beide armen. Hij bracht zijn rechterhand van haar onderrug naar haar middel, dat zo slank was dat hij dat bijna met één hand kon omvatten en klemde hun lichamen zo stevig tegen elkaar dat hun harde knieën gevoelig over elkaar wreven. Ze schoven steeds dichter naar elkaar, hielden elkaar steeds steviger vast en ineens leek Ganga's lichaam zich voorover te vouwen en onderuit te zakken en instinctief volgde Dinesh' lichaam; zijn armen verslapten hun greep, maar lieten haar niet los, zodat ze allebei op hun zij op het bed vielen met hun gezichten naar elkaar toe. Hun hoofden staken een heel klein beetje boven het aarden kussen uit en voor het eerst lagen hun lichamen in hun volle lengte naast elkaar, raakten, hoewel heel oppervlakkig, hun bovenlijven en ook hun buiken en hun voeten elkaar. Met zijn armen nog steeds om haar heen wilde Dinesh haar dichter naar zich toe trekken zodat hij kon voelen hoe door haar jurk heen haar borsten zich tegen hem aan drukten maar hun hoofden, die bijna recht tegenover elkaar lagen, waren ver genoeg van elkaar af om oogcontact te maken en die mogelijkheid alleen al was voldoende om hem te doen aarzelen, ook al zorgden ze er allebei voor elkaar niet aan te kijken, keek hij alleen maar naar haar hals en zij naar zijn schouder.

Ze waren nu getrouwd. In zekere zin was het heel gewoon om elkaar te begeren, om voor de eerste keer hun begeerte te stillen, maar Dinesh wilde er helemaal zeker van zijn dat Ganga er ook zo over dacht. Ze drukte haar hoofd tegen hem aan als om dichter bij hem te zijn, haar lippen geopend en haar wenkbrauwen ontspannen als wilde ze zich aan hem geven, maar misschien deed ze dat alleen maar uit plichtsgevoel omdat hij nu haar man en zij zijn vrouw was. Eigenlijk kon hij zich maar moeilijk voorstellen dat ze deed alsof, ze leek te oprecht om op een dergelijke manier haar gevoelens te verbergen, maar tevens was het ook onvoorstelbaar, misschien nog onvoorstelbaarder, dat ze zich echt tot hem aangetrokken voelde. Dinesh lichtte aarzelend zijn rechterhand op en plaatste zijn wijs- en middelvinger op de zoom van haar mouw. Voorzichtig ging hij vanaf haar schouder via haar bovenarm omlaag naar haar elleboog, stak van haar arm over naar de welving van haar middel en ging vandaar weer via haar heup omhoog. Ganga's lichaam verstijfde en ontspande. Ze schoof steeds een heel klein beetje dichter naar hem toe, tot haar tenen tegen zijn kuiten en de bovenkant van haar dijen tegen de zijne lagen, en haar zachte borsten vluchtig zijn borstkas beroerden. Hij zou het misschien niet eens erg gevonden hebben als ze niet meteen wilde vrijen, misschien zou hij zelfs wel opgelucht zijn, want hij wilde het heel graag en het was iets wat hij zou moeten ervaren voordat hij stierf, maar hij had geen idee of hij er wel toe in staat zou zijn, ook al had hij na al die jaren wachten nu eindelijk de kans. Niet dat hij haar niet mooi vond of dat hij haar niet begeerde, want elke keer dat ze inademde voelde hij een onmiskenbare aandrang haar steviger in zijn armen te houden en haar dichter naar zich toe te trekken, maar tegelijkertijd was dit verlangen om haar tegen zich aan te drukken eigenlijk geen seksuele drang, althans niet volledig seksueel, want ondanks haar hete adem in zijn hals, ondanks dat haar borsten zwaar tegen zijn borstkas zwoegden, dat haar onderlichaam zich tegen het zijne drukte en dat hun lichamen slechts door twee dunne lagen stof waren gescheiden, voelde hij niets hards tussen zijn benen. Het was waar dat hij lang geleden voor het laatst enige hardheid had gevoeld, maar hij wist nog heel goed dat hij zich vroeger zomaar ineens hard voelde worden tegen de stof van zijn korte broek of sarong, dat hij dan niet alleen zwaarder maar ook harder en stijver werd tot het bijna pijna deed en zijn lichaam daarbij vergeleken slap leek, en hij besefte nu maar al te goed dat er, ondanks het zware gevoel tussen zijn benen, om de een of andere reden nog steeds niets hard werd.

Ganga had haar beide armen om hem heen geslagen en zo

klampten ze zich aan elkaar vast; ze omklemden elkaar zo stevig dat hun tegen elkaar geperste lichamen nauwelijks ruimte lieten voor opdringen of afhouden. Met gesloten ogen probeerde Dinesh zich te concentreren op de deining van haar lichaam tegen het zijne, op haar opgaande boezem en inzinkende buik. Hij probeerde te denken aan haar smalle rug en uitstekende sleutelbeenderen en aan het feit dat ze met hem wilde vrijen, met hem en niet met iemand anders, terwijl ze hem pas een dag kende. Hij probeerde te denken aan het feit dat ze leefde, dat er door haar aderen onder haar huid bloed stroomde, dat er in haar een volledige autonome wereld van gedachten en gevoelens bestond, en dat hij haar wilde helpen over die wereld te waken, ervoor te zorgen en op alle mogelijke manieren te behoeden. Hij klemde zijn armen nog steviger om Ganga en probeerde haar op die manier duidelijk te maken, mede te delen dat hij sterk genoeg was, dat hij voor alles wat ze nodig had kon zorgen en dat ze samen met hem gelukkig kon zijn. Dat was wat hij haar wilde laten weten; als ze dat ook zo voelde en erin geloofde, dan zou, wist hij, alles goed komen, alles in orde komen, dan zou het zware, slappe ding tussen zijn benen hard worden en zouden ze de liefde kunnen bedrijven als een getrouwd stel op hun eerste nacht. Dinesh trok zijn hoofd een stukje weg van Ganga's hals, legde zijn slaap naast die van Ganga en probeerde te luisteren, alsof hij door hun individuele pulsaties naast elkaar te leggen en de verschillen in ritme te meten kon horen of zij hetzelfde dacht als hij, of zij inderdaad geloofde dat hij voor haar kon zorgen en of ze dat ook wilde. Hij fronste zijn wenkbrauwen toen ze een been tussen de zijne duwde, kneep zijn ogen dicht toen ze met haar gezicht langs het zijne streek, deed zijn uiterste best zich te concentreren maar bleef desalniettemin incapabel, en terwijl hij zijn slaap tegen de hare drukte om een teken te krijgen, maar slechts haar harde hoofd, haar schedel voelde die even weinig meegaf als een muur, verstijfde zijn lichaam, sloeg hij zijn armen steviger om haar heen, bracht zijn lippen bij haar oor en zei met zachte, enigszins trillende stem:

Ben je blij dat we getrouwd zijn?

Ganga bewoog niet meer.

Misschien had ze hem niet gehoord. Zachtjes herhaalde hij de vraag.

Hij wachtte op haar antwoord, maar ze bleef zwijgen.

Ben je blij dat we getrouwd zijn?

Ganga trok haar hoofd een klein beetje naar achteren.

Wat bedoel je?

Ben je blij dat we hier samen zijn?

Hun lichamen lagen nog tegen elkaar gedrukt, maar waren nu volslagen verstijfd. De warmte en vochtigheid steeg van Ganga's huid omhoog en leek alles stil te houden.

Wat is er om blij of verdrietig over te zijn?

Dinesh' armen om haar rug verslapten een heel klein beetje.

Dingen gebeuren gewoon en wij hebben dat maar te aanvaarden. Blijdschap en verdriet is voor mensen die controle hebben over wat hun overkomt.

Dinesh' armen en benen werden slap. Ganga bleef nog even in dezelfde houding liggen en toen trok ze langzaam haar been tussen de zijne vandaan en lagen zijn benen weer tegen elkaar. Hij voelde een dikke laag transpiratie tussen zijn kuiten en onder zijn lichaam de vochtige plooien van de sari, die ze al bewegend gekreukt hadden. Zijn borstkas zonk vanzelf in, alsof hij geen adem meer had, en het beetje volume dat zijn penis had verworven verdween. Hij trachtte opnieuw aan Ganga's lichaam te denken, aan haar lendenen en haar neergaande buik, maar zijn penis werd kleiner en kleiner en trok zich steeds verder terug tussen zijn benen. Hij spande de spier diep in zijn kruis aan, de spier die aangespannen zorgde dat zijn penis iets omhoogkwam, de spier die indien in de juiste positie aangespannen tot een erectie kon leiden, dat wist hij nog van vroeger; hij spande die spier een tweede, een derde keer aan, maar de begeerte keerde niet terug, slechts spijt. Ganga's ademhaling was kalmer geworden en haar armen lagen nu slechts losjes om zijn lichaam. Wat hij ook probeerde, het enige gevoel dat Dinesh bij zichzelf opwekte was een bijna onmerkbare siddering tussen zijn benen. Hij spande nog eenmaal aan en voelde nog minder, spande nogmaals en voelde toen helemaal niets. Terwijl zijn lichaam zo slap was alsof het volledig was leeggelopen, begroef hij zijn hoofd zo diep als hij kon in de beslotenheid van Ganga's hals, in de kleine, besloten holte tussen haar sleutelbeen en de zijkant van haar hals en barstte plotseling in snikken uit.

7

PAS TOEN ZIJN huilen was afgezwakt tot een jammeren en
vervolgens tot stille schokken, begon het geluid dat aanzwol en
wegstierf als een gedempt of gesmoord roepen tot Dinesh door
te dringen; het kwam niet ver vanwaar zij lagen. Het verraste
hem niet zozeer omdat de jungle rondom de open plek op dat
tijdstip van de nacht, en gewoonlijk ook overdag, altijd stil was
maar omdat het hem deed beseffen dat al die tijd buiten hem een
volledige wereld was blijven bestaan. Zijn gezicht was nog altijd
verborgen in Ganga's hals en ze lagen nog steeds op de over het
bed uitgespreide sari. Zijn armen lagen slap om haar lichaam,
die van haar om het zijne en zachte windvlagen door de bomen
om hen heen bliezen nog steeds verkoelend over zijn huid, maar
zolang zijn huilbui duurde had hij het gevoel gehad dat alleen hij
er was, alsof het enige in de hele wereld alleen zijn lijf was met
zijn kleine, kwetsbare penis die in zijn eerdere leven onafhankelijk van hem groeide en hard werd en meer ruimte innam dan
hem beschoren was, maar die zich nu zo had teruggetrokken dat
hij hem niet eens meer tussen zijn benen voelde, een geamputeerd lichaamsdeel dat slechts in schijn bestond. In zekere zin was
het grappig dat, na alles wat hij had doorgemaakt, dit feit hem

aan het huilen had gebracht. Hij kon zich niet eens herinneren gehuild te hebben bij de dood van zijn moeder, die hem nader stond dan wie dan ook en toch had hij waarschijnlijk geen traan gestort, maar maanden later was het simpele feit dat zijn penis niet omhoog kon komen voldoende om zijn traanbuisjes vol te laten lopen en de baard uit zijn keel te laten verdwijnen. Natuurlijk wist hij dat hij niet moest toegeven aan de drang die hem overweldigde, dat hij zich tenminste in aanwezigheid van Ganga moest inhouden, maar voor hij het wist stroomden de tranen over zijn wangen en was het duidelijk dat hij niet kon ophouden, wat in zekere zin een troost was, want hij wilde zich helemaal ledigen, wilde zich totaal laten gaan en bij de gedachte dat zijn penis nutteloos aan zijn waardeloze lichaam bungelde en bij het idee dat hij hem voorzichtig in een stukje stof zou wikkelen en in de grond begraven, was hij nog harder gaan huilen, diep uit zijn lichaam, steeds dieper tot zijn borst begon te stuiptrekken en elk deel van zijn lijf mee schokte en hij zich volledig overgaf aan zijn huilbui.

Toen hij acht of negen jaar oud was, had zijn moeder hem eens geslagen, waarvoor wist hij niet meer, alleen dat de aframmeling onterecht was geweest en hij die niet had verdiend. Hij was in tranen uit de keuken naar de slaapkamer gerend die hij met zijn grootmoeder en zijn broer deelde en had de deur gesloten om alleen te zijn. Vervolgens was hij in de duistere ruimte onder het houten bed van zijn grootmoeder gekropen. Tussen de vloer en de onderkant van het bed was slechts ongeveer vijftien centimeter ruimte, maar klein als hij was lukte het hem er op handen en voeten helemaal onder te kruipen; zijn neusgaten zaten vol van de droge geur van stof en zijn hoofd drukte tegen de planken boven hem waarop het matras lag. Langzaam draaide hij zich honderdtachtig graden om zodat zijn voeten tegen de onderkant van de muur lagen, hij legde zijn voorhoofd op de koele harde grond als om te bidden en barstte toen in huilen uit. Dat hij onterecht geslagen was gaf hem, vond hij, alle reden om te huilen en hij jammerde niet alleen over het zojuist gebeurde, maar ook over al die eerdere keren dat zijn moeder hem had geslagen; elke herinnering daaraan benutte hij willens en wetens, alhoewel misschien niet bewust, om zichzelf nog meer van streek te maken. Dat hij zich zo liet gaan was niet zo onbegrijpelijk, uiteindelijk doet uithuilen je goed, was het een manier om voor jezelf te zorgen, ook al ging het niet zonder pijn gepaard, maar het was moeilijker om uit te leggen waarom hij zich daarvoor moest verstoppen, waarom hij dat niet openlijk kon doen. Misschien had het te maken met het feit dat uithuilen inhield dat je toegaf aan je eigen kwetsbaarheid, dat je toegaf dat mensen je kunnen kwetsen en hebben gekwetst wat je ook doet of denkt. Uithuilen hield in dat je niet langer je tanden op elkaar hield, onbewogen voor je uit staarde of deed of het je allemaal niets kon schelen, wat op andere momenten je tactiek was om jezelf te beschermen tegen alles wat je overkwam, en misschien moest je op een veilige plek zijn, een plek waar je niet gekwetst kon worden, om de periode van rauw contact met de wereld die volgde op deze zelfovergave te kunnen verdragen. Tenzij hij zich misschien niet uit een behoefte aan zelfbescherming verstopte, maar omdat zijn verontwaardiging niet evenredig was aan het onrecht, omdat wat zijn moeder hem had aangedaan in het niet viel bij alle andere onrechtvaardigheden in de wereld en hem niet echt het recht gaf om zelfmedelijden te hebben. Misschien gaf men naarmate men ouder werd daarom minder snel de moed op en had men minder snel zelfmedelijden, want tranen uit zelfmedelijden konden alleen maar komen als je het lijden van anderen negeerde of op z'n minst pretendeerde dat dat er niet toe deed. Als je ouder werd,

werd het moeilijker het lijden van anderen te negeren, als je meer
van het leven zag en meer deelnam aan de wereld werd het moeilijker om aan te nemen dat het verdriet dat jou overkwam uniek
was en speciale aandacht verdiende. Het resultaat was dat zelfmedelijden een vorm van genotzucht was behalve als je kon doen
alsof er verder niemand bestond, of dat jouw verdriet anders en
bijzonderder was, en dan was het misschien gemakkelijker om
ergens helemaal alleen te zijn.Hij begreep niet waarom hij zijn
gezicht zo diep in Ganga's hals had willen begraven, maar nadat hij zich zo lang had overgegeven aan de bedwelmende pijn
van zijn schokkende lichaam, aan de onafgebroken stortvloed
van tranen, werd hij langzaamaan bevangen door een loom, ver-
leidelijk gevoel van vermoeidheid en toen hij de eerste keer de
gedempte kreet in de verte hoorde aanzwellen en wegebben, herinnerde Dinesh zich plotseling weer dat naast hem een meisje lag
met wie hij net getrouwd was, iemand die in het recente verleden
veel meer had doorgemaakt dan hij, dat ze op een open plek in de
jungle lagen, net ten noordoosten van een kamp met tienduizenden vluchtelingen, kortom, dat er behalve hem een hele wereld
bestond. Hun lichamen lagen nog steeds enigszins tegen elkaar
gedrukt en Ganga's arm lag nog steeds losjes over hem heen alsof ze niet goed had geweten hoe te reageren op het gebeuren, of
ze hem moest troosten en geruststellen of dat ze zich van hem
moest afkeren en aan zijn lot overlaten. Plotseling schaamde Dinesh zich dat hij zo lang alleen maar aan zichzelf had gedacht en
beschutting in Ganga's hals had gezocht terwijl hij degene was
die haar had moeten geruststellen en zijn spieren spannend probeerde hij de rillingen die nog steeds door zijn lichaam liepen te
onderdrukken. Hij bracht zijn hoofd iets boven Ganga's volledig
doorweekte hals; hun gezichten en halzen raakten elkaar nu niet
meer maar ze konden nog steeds niet elkaar in de ogen kijken, en

niet zeker of hij echt iets had gehoord of dat hij het zich alleen maar verbeeld had, sloot Dinesh zijn ogen en probeerde te luisteren. De roep klonk nogmaals; hij bleef hangen in het gebladerte en zakte toen weg. Naast hem bewoog Ganga een beetje alsof ook zij het had gehoord, maar Dinesh probeerde zich niet te verroeren. Hij zou graag naar Ganga willen kijken om te weten of ook zij het geluid had gehoord dat uit een deel van de jungle niet ver van de open plek leek te komen, zo te horen vijftien of twintig meter naar het noorden of noordwesten, maar haar aankijken betekende ook erkennen dat hij had gehuild en daartoe voelde hij zich nog niet in staat.

Het geluid klonk opnieuw, dit keer hield het wat langer aan voordat het wegebde. Ganga bewoog nogmaals, ditmaal resoluut, alsof ze wilde opstaan en omdat Dinesh geen andere keus had, veegde hij zijn ogen en wangen af aan de mouw van zijn hemd en richtte zich op op zijn ellebogen waarbij hij zorgvuldig zijn blik afgewend hield. Ganga haalde haar arm van hem weg, trok haar benen op en ging vooroverzitten met haar hoofd op haar knieën. Even overwoog Dinesh of hij iets moest zeggen om zich te verontschuldigen, of hij een poging moest doen uit te leggen waarom hij zo had gehuild, maar hij had geen idee wat hij zou kunnen zeggen en Ganga's gezicht liet niet blijken dat er iets was gebeurd. Kennelijk wilde ze doen alsof ze er niet bij was geweest of dat er niets was gebeurd en alsof ze aanvoelde zonder hem aan te kijken dat hij zich afvroeg of hij het onderwerp wel of niet ter sprake moest brengen, draaide ze zich naar hem toe en was hem voor.

Wat was dat voor geluid?

Dinesh schudde zijn hoofd, keek Ganga aan en wendde toen snel zijn blik af. Ik zou het niet weten.

Het klonk weer – het was onmogelijk te zeggen of het om

roepen, praten of huilen ging – hield zolang het kon aan en stierf weg. Twintig of dertig seconden was het stil, alsof de stem wilde rusten en op kracht komen en toen klonk hij opnieuw.

Heb je dat al eens eerder gehoord?

Nee, nooit.

Het was, wist Dinesh, waarschijnlijk niet afkomstig van iemand uit de beweging, want de kaders maakten nooit enig lawaai als ze zich verplaatsten. Misschien was het afkomstig van een gewonde uit het kamp, maar het zou vreemd zijn als een gewonde zich op dit nachtelijke uur naar de jungle had gesleept in plaats van naar de kliniek of het hospitaal of dat hij, als hij zich daar al enige tijd bevond, nu pas zijn nood klaagde terwijl de laatste beschieting 's ochtends vroeg had plaatsgevonden. Plotseling werd hij zenuwachtig, want of de bron nu wel of niet gevaarlijk was, vroeg of laat zouden de kaders het horen en in dat gedeelte van de jungle op onderzoek uitgaan en dan zouden ze misschien ook naar de open plek komen. Als het geluid op tijd stopte, was het misschien verstandig om het risico te nemen stilletjes te blijven liggen, maar als het daarentegen steeds terugkwam, was het waarschijnlijk beter om er zo spoedig mogelijk achter te komen wat het was en te bekijken wat eraan gedaan kon worden. Een confrontatie met de oorzaak van het geluid kon gevolgen hebben, per slot van rekening hadden ze geen idee waar het vandaan kwam, maar als hij voorzichtig was en zich op een afstand hield, kon hij uitzoeken wat het was. En mocht er niets aan te doen zijn, dan konden ze toch enigszins gerustgesteld zijn omdat ze wisten waar ze mee te maken hadden in plaats van dat ze zich de rest van de nacht angstig zouden afvragen waar het geluid vandaan kwam en of ze gevaar liepen. En bovendien zou Ganga, als ze zag dat hij bereid was om op onderzoek uit te gaan, misschien beseffen dat hij geen stumper was, maar de situatie aankon en dat ze op hem kon rekenen. Misschien zou ze zijn huilbui vergeten, of uiteindelijk bedenken dat dit een uitzonderingsgeval moest zijn, en misschien kon hij door op onderzoek uit te gaan Ganga's respect voor hem herstellen. Dinesh ging rechtop zitten en keek haar aan. Hij aarzelde even en probeerde toen vol zelfvertrouwen te spreken.

Blijf jij maar hier, dan ga ik kijken wat het is.

Ganga zei niets.

Maak je geen zorgen als ik niet meteen terugkom. Ik zal heel voorzichtig zijn. En ik kom zo snel mogelijk terug.

Met een hoofdbeweging gaf ze te kennen dat ze het een acceptabel idee vond. Op haar gezicht was een lichte opluchting te zien, niet zozeer, kon Dinesh niet nalaten te denken, omdat het geluid haar zorgen baarde maar omdat ze even alleen wilde zijn. Gegeven de omstandigheden was dat alleszins begrijpelijk. Dinesh stond op en wachtte tot het roepen opnieuw begon zodat hij de richting waaruit het kwam kon lokaliseren. Toen hij klaar was om op weg te gaan, keek hij nog eenmaal naar Ganga, probeerde zelfverzekerd te glimlachen en bewoog zich vervolgens met langzame, onzekere passen langs de varens en planten die voor het bed stonden in de richting van de dikke duisternis achter de bomen. Hij zocht houvast bij takken en stammen en volgde blindelings het opklinkende en wegstervende geluid, waarbij hij zijn best deed niet zijn positie met betrekking tot de open plek uit het oog te verliezen, want dit was niet zijn gewone route en in het donker zou het moeilijk zijn om de weg terug te vinden. In de korte stiltes bleef hij staan, sprak zichzelf moed in, wachtte tot het geluid weer klonk, paste de koers aan en vervolgde zijn weg. Naarmate hij dichter bij de bron van het geluid kwam, klonk dit minder dof en gedempt; het opstijgen en wegsterven in de lucht gebeurde ritmischer en duidelijker en het had steeds meer weg van gesnater of gefluit dan een verstaanbare taal. Het had helemaal niks van een menselijk geluid, hoewel er onder de schelle klank ook een kwetsbare ondertoon zat, als de gefrustreerde kreten van een koppig kind dat niet wil erkennen dat het hulp nodig heeft. Dinesh ging langzamer lopen toen hij dichter in de buurt kwam; zijn kuiten spanden zich terwijl hij ongemakkelijk op zijn tenen sloop en toen hij zich in de onmiddellijke nabijheid van het geluid bevond, bleef hij staan en hield zijn adem in, uit angst zijn aanwezigheid te verraden. Het geluid steeg enkele meters voor hem op, bleef enkele seconden in de lucht hangen en stierf weg. Het kwam uit een bed van varens rondom een boom, vermoedelijk onder de bladeren vandaan. Nu pas realiseerde Dinesh zich hoe klein de bron van het geluid moest zijn, waarschijnlijk een of ander diertje, kleiner dan een kat of een hond, misschien zelfs niet groter dan een eekhoorn. Tot nu toe was hij, niet wetend wat hij kon verwachten, zenuwachtig geweest, maar nu liet hij de lucht die hij in zijn borstkas had vastgehouden wegstromen en hij liep kalm en snel naar het plantenbed. Het geluid dat net begon op te klinken brak af. Dinesh liet zich langzaam op zijn knieën zakken, stak zijn hand tussen de varens en begon ze voorzichtig af te tasten, als zou dat wat zich daarbinnen bevond misschien bijten. Bijna onmiddellijk voelde hij de contouren van iets wat zich daar verborgen hield; hij duwde de bladeren uiteen en boog voorover. Met zijn hoofd vlak bij de grond kneep hij zijn ogen samen en toen die aan het donker begonnen te wennen ontwaarde hij langzaam iets.

Op de grond lag roerloos op zijn zij een kleine zwarte kraai met vochtige ogen; het was geen jonge vogel meer, maar hij was ook nog niet volgroeid. Zijn kromme zwarte snavel stond, midden in zijn roep bevroren, half open en zijn dunne, op takjes gelijkende pootjes staken opzij uit zijn lijfje. Zijn kleine, nog niet volledig ontwikkelde kopje lag in een vreemde hoek ingetrokken in zijn lijf, rechtstreeks vast aan zijn schouders, alsof zijn nek was gebroken of verminkt. De vleugel die te zien was, was eveneens beschadigd en zat niet op de normale manier tegen zijn lijfje dichtgevouwen; de rafelige veren sloten niet aaneen en waren bedekt onder een vreemde donkere glans, zo te zien opgedroogd bloed. Op de grond net onder zijn lijfje glinsterde een geelwitte substantie, hoogstwaarschijnlijk stront. De kraai moest daar al minstens een paar uur gelegen hebben. Misschien was hij tijdens de beschietingen uit een nabije boom gevallen, hoewel er naar dat gedeelte van de jungle recentelijk geen granaten waren afgevuurd. Het was waarschijnlijker dat hij, gewond door een van de granaten die die ochtend op het kamp waren afgeschoten, erin was geslaagd naar de jungle te vliegen voordat zijn verwondingen hem dwongen neer te strijken. Dinesh hield de bladeren van de varens rondom de kraai wijder uit elkaar voor meer licht en terwijl hij dat deed vloog van de vleugel een vlieg op. Hij bewoog met zijn hand over het lijfje en nog twee vliegen vlogen weg. Dinesh had geen idee wanneer hij voor het laatst een vogel had gezien. Hij herinnerde zich niet één uil, reiger, koekoek, parkiet of mus in de afgelopen maanden gezien te hebben, niet eens een kraai, alsof ze allemaal de tekenen van de oorlog hadden opgemerkt en al veel eerder waren weggevlogen, en alleen de zwakken en zieken samen met de vluchtelingen hadden achtergelaten om die door het lawaai en de hitte van de beschietingen tot zwijgen te laten brengen.

Volslagen roerloos op zijn knieën keek Dinesh in het kleine, vochtige, volmaakt ronde oog van de vogel. Hij had geen idee of de vogel naar hem terugkeek, maar deze sloot zijn snavel om een geluid te produceren. Niet de eerdere schelle, hoge roep die opklonk en wegstierf, maar een zacht, benauwd gefluit, meer het geluid van een ouder persoon dan van een kind, alsof hij nu, nu hij de aandacht kreeg van een ander levend wezen, kon ophouden zo luid en hardnekkig te roepen en zich eindelijk uitsluitend op zijn pijn kon concentreren. Dinesh snapte niet waarom de kraai eigenlijk zoveel moeite had verspild aan roepen en wat hij van een ander levend wezen verwachtte. Hij had geen eten voor hem en kon op geen enkele manier zijn verwondingen behandelen of genezen. Hij kon hem of uit zijn lijden verlossen of aan zijn lot overlaten. Als hij hem doodde, kon hij hem het laatste stukje ellende besparen, en als hij de vogel in leven liet, zou deze geen andere keus hebben dan lijdzaam zijn dood af te wachten. Dinesh bracht zijn gezicht dichter bij de zielige kop van de kraai en bestudeerde zijn kromme zwarte snavel, zijn kleine vochtige oog, het klitterige zwarte verenkleed en de lichtroze huid die daaronder zichtbaar was. Als hij wilde, kon hij het kleine, broze kopje tussen duim en wijsvinger zo door en door platdrukken dat zijn vingertoppen elkaar zouden raken. Hij kon de schedel van de kraai zo drastisch vermorzelen, dat het leven tussen zijn vingers door zou wegvlieten, dat bloed en hersenmaterie door de vogelbek zouden wegsijpelen, maar Dinesh wist dat hij daar op geen enkele manier toe in staat zou zijn, ook al was dat misschien het edelmoedigste wat hij kon doen. Hij wilde de kraai laten leven, zijn bestaan laten voortzetten, ook al leed hij pijn en smeekte hij gedood te worden. Zijn tijd zou snel genoeg komen, of hij hem nu wel of niet doodde, en daarom kon hij net zo goed iets langer ervaren en herinneren wat leven was voordat hij doodging. Dinesh liet de bladeren die hij met zijn rechterhand opzij hield los en streelde met het topje van zijn wijsvinger het kraaienkopje dat onder de vochtige zwarte veren even hol en broos was als een ei. Misschien had hij alleen maar gezelschap gewild. Misschien wilde hij helemaal niet dat Dinesh een einde aan zijn leven maakte, misschien had hij alleen maar in het donker geroepen om een tijdje in gezelschap van een ander te verkeren.

De kraai knipperde langzaam met zijn oog en Dinesh streelde hem nog eens als om hem ervan te verzekeren dat hij nog even bij hem zou blijven. Hij liet de bladeren uit zijn linkerhand los zodat ze weer hun vroegere positie innamen en de vogel zich opnieuw veilig in de bescherming van de varens bevond. Hij tastte de grond achter hem af en liet zich achterovervallen, zijn knieën opgetrokken, zijn rug en hoofd op de zachte melange van gras, stelen, bladeren en aarde. Natuurlijk kon hij Ganga niet te lang laten wachten, want als hij nog heel veel langer wegbleef, zou ze misschien denken dat er iets was gebeurd en de open plek verlaten om naar hem op zoek te gaan. Maar desondanks kon het vast geen kwaad om nog een paar minuten naast de kraai te blijven liggen, niet alleen om hem de schrale troost van de aanwezigheid van een ander levend wezen te bieden, maar ook omdat de kans bestond dat hij opnieuw luid zou gaan roepen als Dinesh onmiddellijk vertrok. Als hij nog even bleef, zou de kraai misschien, voldoende gekalmeerd door zijn korte aanwezigheid, stil blijven na zijn vertrek. En hoe dan ook was het aangenaam hier naast hem te liggen, in de geheimzinnige duisternis van dit onbekende stuk oerwoud. Het voelde aan als een toevluchtsoord, een plek waar hij weer tot zichzelf kon komen na zijn lange, onbedaarlijke huilbui op Ganga's schouder. Binnen in hem voelde hij nog de naweeën van zijn uitbarsting en terwijl hij een tijdje op de zachte aarde bleef liggen luisteren kon hij wachten tot ze kalmeerden, tot zijn lichaam ze volledig had geabsorbeerd en hij kalm zou zijn als hij later naar de open plek terugkeerde en weer naast Ganga zou gaan liggen.

Hij moest twaalf of dertien geweest zijn toen hij op een middag in de grote kamer van het huis zat te studeren aan het bureau dat van zijn broer was geweest voordat deze van school was gegaan om zich bij de beweging aan te sluiten. Toen hij zich omdraaide om naar de klok te kijken aan de muur achter hem, had hij vanuit een ooghoek een gekko beneden bij de tafelpoot gezien. Het was een beetje vreemd om midden op de dag een gekko zo op de grond te zien zitten, maar hij ging door met zijn huiswerk zonder er verder aandacht aan te besteden; hij was toen bezig met de voorbereiding van zijn eindejaarsexamens en volop in beslag genomen door het oplossen van vraagstukken. Maar toen hij na een uur of zo achtereen in zijn schrift geschreven te hebben achterover op zijn stoel leunend even ophield, keek hij omlaag en zag dat de gekko nog op precies dezelfde plek zat waar hij hem eerder had gezien. Hij was groter dan gekko's normaal zijn, ongeveer even lang als zijn wijsvinger, zijn poten en buik waren dik en vlezig, en zijn ogen waren zwart en bol in een kalm, driehoekig gezicht. Dinesh klapte in zijn handen om hem te verjagen, maar de gekko bleef rustig zitten. Dinesh tilde de achterpoten van zijn plastic stoel omhoog en liet ze luid kletterend op de grond neerkomen, maar de gekko bleef nog steeds volmaakt roerloos naast de tafelpoot zitten. Met zijn voeten van de vloer boog Dinesh over hem heen en knipte met zijn vingers boven zijn kop om hem te laten schrikken. De ogen gingen wijder open, maar om de een of andere reden weigerde de gekko van zijn plaats te komen. Zijn buik zwol en kromp snel en onder de doorschijnende lichtbruine huid pulseerde de vaalblauwe ader het bloed razendsnel door zijn lijf. Niet goed begrijpend wat er aan de hand was pakte Dinesh zijn potlood, schoof zijn stoel achteruit en knielde vlak achter de gekko op de grond. Op enkele centimeters achter de staart tikte hij met het gumuiteinde van het potlood op de grond, maar er gebeurde niets. Langzaam bewoog hij het potlood dichterbij tot op een halve centimeter achter de achterpoten, tikte op de vloer en prikte ten slotte met het potlood voorzichtig, resoluut maar niet hard, in de rug van de gekko. De gum zakte weg in het zachte, bijna elastische lijf; het dier maakte een snelle schokkende beweging en bij zijn vlucht-poging raakte een van de achterpoten merkwaardig verdraaid onder zijn lijf en verstijfde hij opnieuw. Zo bleef hij zitten tot Dinesh hem opnieuw aanraakte en de overige drie poten hard over de grond schraapten. Die sleepten zijn lijf en de verdraaide poot een stukje mee, maar na nog geen tien centimeter gaven ze het op. Ogenschijnlijk had de gekko zich bezeerd of was gewond. De achterpoot kon niet bewegen en zonder die poot kon de gek-ko ook niet bewegen. Het was een raadsel hoe hij de plek bij de tafel had bereikt, maar hij kon op geen enkele manier eigener be-weging daarvandaan komen. Dinesh kroop nog wat dichter bij het gewonde dier, hield zijn hoofd nog wat lager en bekeek de levenloze poot, die bij de laatste verrichtingen onverwachts zijn normale positie had herkregen. Er was niets bijzonders aan de poot te zien; hij stak uit het zachte, melkachtige lijf van de gekko en eindigde in een klein, kussenachtig voetje, waaraan vijf kleine ronde tenen prijkten, alle vijf even lang, korter dan een millime-ter, en stuk voor stuk even onvervangbaar zacht en teer.

Dinesh had geprobeerd weer aan het werk te gaan, maar nu hij wist dat de gekko daar kreupel op de grond lag, kon hij zich moeilijk concentreren. Hij wist dat als hij niets deed, de gekko daar zou blijven liggen en bij die gedachte raakte hij van streek, niet alleen van streek, hij werd zelfs misselijk. De gekko was heel zacht, heel kwetsbaar en zijn grote, starre ogen keken wanhopig. Zolang hij zich niet bewoog, blaakte zijn sterke, solide lijf van vitaliteit, maar vanwege zijn voor het oog onzichtbaar verminkte poot waren ook zijn gezonde ledematen nutteloos geworden en was hij zelfs niet meer tot de meest basale verrichtingen in staat.

Misschien hoopte hij door zich doodstil te houden eventuele vijanden te overtuigen dat hem niets mankeerde, dat het zinloos was hem achterna te zitten, terwijl hij tegelijkertijd natuurlijk heel goed wist dat hij zich alles wat hem overkwam zou moeten laten welgevallen. Dinesh kon de situatie niet langer aanzien en hij schoof zijn stoel weer achteruit. Hij bladerde zijn schrift door, scheurde er een beschreven vel uit en ging op zijn knieën zitten. Zacht porrend met zijn potlood dreef hij de gekko op het vel papier, hield dat voorzichtig bij beide randen vast voor het geval het dier probeerde weg te lopen, kwam langzaam overeind, liep naar buiten – zich intussen welbewust van het gewicht van de grote gekko midden op het blad papier – en deponeerde hem helemaal achter in de tuin ondersteboven in het gras. Hij draaide zich om en liep snel terug naar huis. Toen hij weer aan zijn bureau zat, vond hij het een verschrikkelijk idee dat de gekko binnen korte tijd door een rat of kraai verslonden zou worden, dat deze als resultaat van zijn bemoeienis zonder slag of stoot zijn zachte lijf door een bek of een stel klauwen uiteen moest laten rijten. Als hij niets had gedaan, zou de gekko tenminste zolang als Dinesh zijn huiswerk deed diens bescherming en die van het huis hebben genoten, maar vroeg of laat zou hem toch dat onvermijdelijke lot ten deel vallen, vroeg of laat zou een of ander wezen hem bij de tafelpoot hebben zien liggen en zich op hem hebben geworpen. Dinesh wist dat de gekko nog leefde, dat het even zou duren voordat hij daar hulpeloos op de grond liggend gevonden zou worden, maar de wetenschap dat hij op het punt stond dood te gaan was gemakkelijker te verdragen dan het idee dat hij in zijn ellendige staat verder moest leven.

Op een bepaalde manier waren de twee situaties verschillend want anders dan met de gekko kostte het Dinesh nu geen enkele moeite om in de buurt van de gewonde kraai te blijven. Hij voelde geen aandrang om een eind aan diens leven te maken of bij hem vandaan te gaan en eigenlijk kalmeerde de kraai hem zelfs, verschafte zijn nabijheid hem troost. Misschien was het zo moeilijk geweest om in de buurt van de gekko te blijven vanwege de wanhoop in zijn starre blik en zijn snel kloppende buik, een wanhoop die bij de kraai minder zichtbaar was of misschien waren de situaties min of meer gelijk en was hij degene die was veranderd, wat bij nader inzien eigenlijk waarschijnlijker was. Hoe het ook zij, Dinesh was blij te weten dat de kraai daar onder de varens in leven was en daar tenminste zou blijven tot Dinesh terug was op de open plek en dat de kraai de gelegenheid zou krijgen die tijd door te brengen in het lijf dat al zo lang het zijne was. Hij wilde dat de kraai aan zijn leven dacht, ook al had hij pijn, dat hij alleen met zichzelf was op een manier waar hij daarvoor misschien de kans niet had gekregen. En ook als de kraai dat al had gedaan, ook al had hij de tijd nadat hij van uitputting uit de boom was gevallen op die manier doorgebracht, dan kon het geen kwaad, wist Dinesh, als hij daar nog een tijdje mee doorging.

Dinesh rekte zich uit en gaapte zachtjes. Hij was uitgeput van het huilen en als hij nog langer bleef liggen, riskeerde hij in slaap te vallen. Hij kwam traag overeind, bleef even staan zonder zich te bewegen om de duizeligheid van het opstaan te laten afebben, rekte zich uit en geeuwde opnieuw. Zijn oogleden waren zwaar en ietwat gezwollen, maar verder voelde hij zich verbazingwekkend licht, alsof hij zich middels zijn tranen had ontdaan van al het water dat zich achter zijn ogen had opgehoopt en zijn lichaam nu een stuk lichter was geworden. Dinesh wierp een blik op de varens waaronder de kraai lag en liep rustig naar een boom die een eindje verderop stond. Met zijn linkerhand trok hij zijn sarong op en hield met de andere zijn penis omhoog. Die voelde nog steeds klein aan, niet in staat om zwaarder of harder te worden, maar toen hij zich met gesloten ogen uit alle macht concentreerde, kwam er een klein straaltje. Hij spande zich nog harder in, opende zijn ogen en keek hoe een lange, geluidloze straal omhoogging, en met een grote boog door de lucht luid tegen de schors en de bladeren van de planten onder aan de boom kletterde. Met zijn hand richtte hij de straal van links naar rechts, luisterde met genoegen hoe die bij verschillende bladeren verschillende spettergeluiden maakte, richtte hem toen omhoog en spande zich nog harder in om te zien hoe hoog en hoe ver hij kon komen. Hij perste zo lang als hij kon, maar langzaamaan werd de boog kleiner, nam af in hoogte en lengte, de straal splitste zich op in twee dunnere stralen en slonk uiteindelijk tot een enkele druppel. Dinesh schudde zijn penis en trok zijn sarong weer omlaag. Hij wierp een blik achterom naar de varens, alsof hij de kraai wilde laten weten dat hij wegging; hij vond het wel spijtig, maar was blij iets van hem achter te laten als gezelschap voor de kraai.

Anders dan hij had gevreesd vond hij de weg gemakkelijk terug en terwijl hij stilletjes onder het lichtloze gebladerte door liep, werd Dinesh bevangen door een vreemd gevoel van kalmte en vrede zoals hij al een tijdlang niet had ervaren. Het was alsof hij in zich iets van waarde meedroeg, alsof een luchtdichte ruimte in zijn ribbenkast een klein, breekbaar voorwerp bevatte, iets wat zo kostbaar was dat de rest van zijn lichaam, zijn ogen, zijn handen en voeten slechts bestonden om het te behoeden. Hij had het gevoel dat alle capaciteit die hij nodig had in dit ding zat besloten en dat dat van hem iemand had gemaakt die autonoom was en voor zichzelf kon zorgen, op de een of andere manier onafhankelijk van de buitenwereld, en dat steeds meer bij elke stap die hij in de richting van de open plek zette. Weliswaar hadden Ganga en hij niet de liefde kunnen bedrijven en had zijn huilbui haar waarschijnlijk teleurgesteld, maar ze waren nu getrouwd en maakten deel uit van elkaars leven, en in zekere zin leek ze hem tenminste wel aardig te vinden. Ze zou hem ondanks het gebeurde toch wel aardig blijven vinden en dan zouden ze vast en zeker nog wel eens de kans krijgen om met elkaar te vrijen, misschien wel de komende nacht en anders in een van de daaropvolgende nachten. Ze hadden de onderlinge band die tijdens hun gesprek even was ontstaan niet kunnen consolideren, maar morgen zouden ze weer een kans krijgen om met elkaar te praten en anders in een van de daaropvolgende dagen en later zouden ze de gelegenheid hebben om gewoonten te creëren waardoor ze zelfs zonder te praten samen in hetzelfde universum zouden leven. Natuurlijk was het heel goed mogelijk dat een van beiden werd gedood voordat de oorlog ten einde was, maar het was net zo goed mogelijk dat ze die allebei zouden overleven. Misschien zou een van beiden gewond raken, misschien zou een van beiden met een geamputeerde arm of een geamputeerd been verder moeten leven, maar er was ook een kans dat ze het er allebei ongeschonden, fysiek althans, van af zouden brengen. In beide gevallen konden ze samen leven, konden ze werk zoeken en samen op dezelfde plek slapen, naast elkaar liggen en met elkaar zijn. Niets garandeerde dat het zo zou eindigen, je kon nergens zeker van zijn, maar wat hun situatie en kansen ook waren, Dinesh had het stellige gevoel dat alles wat hij nodig had veilig binnen in hem zat, dat alles wat ertoe deed in zijn lichaam verzegeld was en dat hij zich nergens meer zorgen over hoefde te maken.

Toen hij bij de open plek kwam, zat Ganga op haar knieën op de rand van het bed, over de lichtbruine tas gebogen en zocht daar kennelijk iets in. Daar stopte ze mee toen ze hem hoorde aankomen en ze keek Dinesh, die naar het bed liep, onderzoekend aan. Hij wilde vragen wat ze in de tas zocht, maar hij aarzelde even en Ganga was hem voor.

Wat was het?

Een kraai, meer niet, zei Dinesh rustig; hij trok zijn slippers uit en knielde naast het aarden kussen op de sari. Hij was gewond en daarom maakte hij dat geluid. Ik denk dat zijn vleugel tijdens de beschietingen is geraakt.

Ik dacht al dat het een beest moest zijn. Wat heb je gedaan?

Niets. Toen ik daar kwam, hield hij vanzelf op met krijsen.

Waarom ben je dan zo lang weggebleven?

Ik dacht dat het beter was om niet meteen weg te gaan, om er zeker van te zijn dat hij niet opnieuw zou beginnen. Hoezo? Was je bang dat er iets was gebeurd?

Ganga bekeek hem onderzoekend, maar wat ze dacht liet ze niet merken. Ze schudde haar hoofd. Nee, ik vroeg me alleen maar af waarom je zo lang wegbleef. Ik merkte dat het geluid was opgehouden en dacht dat je meteen terug zou komen.

Er was niets aan de hand. Ik wilde er zeker van zijn dat hij niet opnieuw zou beginnen en daarom ben ik naast hem gaan zitten. Ik dacht dat hij misschien gewoon wat gezelschap wilde en dat als ik even bij hem bleef hij niet weer zou gaan krijsen als ik wegging.

Ganga keek omlaag in haar schoot. Na een tijdje keek ze hem weer aan en sprak met een zachte, maar gelijkmatige stem. Als hij aan zijn vleugel was gewond, had je hem misschien beter kunnen doden. In de regel overleven vogels het niet als ze niet kunnen vliegen.

Ik heb het overwogen, zei Dinesh, terwijl hij een beetje ging verzitten. Maar ik wou het niet doen, waarom weet ik niet. Niet dat ik bang was. Als het had gemoeten, als het schreeuwen niet was opgehouden, had ik het gedaan. Maar ik vond dat hij net zo goed nog even in leven kon blijven, als hij toch sowieso gauw dood zou gaan.

Terwijl hij dit zei, keek Ganga hem aan, schudde haar hoofd als om te kennen te geven dat zij er anders over dacht, maar dat het zinloos was om er nog verder woorden aan vuil te maken. Ze keek een tijdje zwijgend naar haar handen, daarna naar de lichtbruine tas, die nog steeds open was en herschikte er een paar dingen in. Uit niets wat ze zei of deed bleek, had Dinesh het gevoel, dat ze nog aan zijn huilbui dacht. De enige verandering die hem opviel was dat ze geduldiger klonk dan tijdens hun eerdere gesprekken, niet echt minder afstandelijk, maar vriendelijker, alsof ze tijdens zijn afwezigheid had besloten minder streng tegen hem te zijn, alsof zij voor hem moest zorgen en hij niet voor haar. Ze trok kalm de rits weer dicht en ging terug naar de rots; daar strekte ze haar benen, ging achterover op de sari liggen en keek omhoog naar de kleine opening in de donkerblauwe lucht boven haar. Hij wilde nog steeds vragen wat ze in de tas zocht voor hij terugkwam, maar ze leek diep in gedachten te zijn en Dinesh voelde aan dat ze daar niet in onderbroken wilde worden. Hij keek nog een tijdje naar haar zonder zich te bewegen, daarna strekte hij zich op zijn kant van het bed uit zodat hij parallel aan haar lag, hun lichamen vlak naast elkaar zonder elkaar te raken en de luchtige stof van de sari koel aan de vochtige huid van zijn benen. In de duisternis boven hem kon hij de contouren van de bladeren en takken onderscheiden en door de opening daartussen hetzelfde stukje lucht waarin Ganga geheel verdiept was.

Met een zucht liet Dinesh zijn hoofd achteroverzakken en zijn lichaam ontspannen. Voor het eerst sinds hun huwelijksvoltrekking maakte hij zich nu geen zorgen bij het vooruitzicht in elkaars gezelschap te zijn zonder iets te zeggen. Hij voelde nog steeds de inwendige vrede en hij leek nu niet meer zijn best te hoeven doen om zijn hoofd boven water te houden, leek niet meer zo op zijn tenen te hoeven lopen, al had hij wel graag willen weten wat Ganga dacht. Hij was nog vermoeider dan ervoor, en zijn lichaam werd zwaar, vooral zijn hoofd. Het liefste wilde hij languit op de grond gaan liggen en zich in de aarde laten wegzakken. Het was niet dringend of van levensbelang dat Ganga en hij met elkaar praatten of in actie kwamen, ze hoefden niet langer steeds met elkaar bezig te zijn alsof ze anders van elkaar gescheiden zouden worden. Ze waren nu getrouwd. Er zouden zich meer gelegenheden voordoen om te praten, elkaar te leren kennen en naar elkaar toe te groeien. Later zou er tijd zijn om haar te tonen dat ze zich op hem kon verlaten. Dinesh haalde heel diep adem en luisterde hoe zijn borst langzaam op- en weer neerging. Naast hem ging ook Ganga's borst op en neer, op zijn eigen maat, maar zonder te botsen met die van hem, en verweefde zich, in de warme, geduldige, hen innestelende stilte, vreedzaam met zijn ademhaling. In tegenstelling tot de intieme stilte die hen eerder had omringd en die broos en met de grootste moeite in stand te houden was, in tegenstelling tot de gespannen stilte waarin ze na de huwelijksvoltrekking naast elkaar hadden gestaan, toen de onbekende, onvertrouwde aanwezigheid van een ander lichaam het hun onmogelijk had gemaakt zich in zichzelf terug te trekken, voelde de stilte die hen nu omringde anders, minder penibel. Het was de stilte die hoorde bij mensen die tot op zekere hoogte aan elkaar gewend geraakt waren, die geleerd hadden hoe zich in elkaars fysieke nabijheid te gedragen en toch in hun eigen wereld te blijven, hoe ze in de aanwezigheid van de ander hun eigen gemoedstoestand konden bewaren. Het deed Dinesh goed deze nieuwe stilte onverstoord te laten voortduren en met gesloten ogen registreerde hij alleen maar hoe de lucht zijn neus binnenkwam en zijn borst vulde, en hoe die uit zijn borst terugstroomde in de atmosfeer.

Hij kon natuurlijk nog niet weten wat Ganga en hij later gingen doen, hoe ze hun tijd samen zouden doorbrengen. In het kamp praatten de mensen weliswaar niet en deden ze ook niets anders in hun vrije tijd, maar Dinesh wist best dat mensen in de regel iets met hun tijd deden, dat ze, alleen of samen met anderen dingen doende, hun dagen doorbrachten. In gedachten zag hij losse beelden van de stad Jaffna die hij als kind had bezocht voordat de regering de macht op het schiereiland had overgenomen en ze gedwongen werden de lange uittocht naar het vasteland te maken. Hij zag de mooi aangeklede mensen op straat die liepen, praatten, boodschappen deden, fietsten, de bus pakten, en met hun tas stevig omklemd altijd snel en doelgericht op weg waren. Kennelijk liepen in het gewone leven mensen altijd met dingen te sjouwen. Als kind had hij daar niets ongewoons of verbazingwekkends in gezien, hij had het doodgewoon gevonden en er daarom nooit bij stilgestaan, maar nu hij eraan terugdacht snapte hij niet goed waar mensen altijd zo druk mee liepen te sjouwen. Misschien een paraplu als het regende, een zakdoek als ze verkouden waren. Misschien een krant om iets te lezen te hebben terwijl ze wachtten en ze zo op de hoogte konden zijn van wat alle andere mensen op de wereld aan het doen waren. Schoolkinderen moesten natuurlijk hun boeken dragen, hun potloden en gummen, en de meeste mensen hadden altijd geld bij zich als ze ergens heen gingen, dus droegen ze tassen en portefeuilles bij zich en alles wat ze met dat geld kochten. Per slot van rekening hadden mensen altijd van alles nodig, daarom waren er zoveel winkels en kraampjes in de stad. Om te eten kochten ze dus groenten en vlees, en ook zoetigheid, als ze van zoet hielden. Ze moesten hout of gas kopen om te kunnen koken en kleren om te dragen, medicijnen en bezems, spullen voor de keuken, alles wat nodig was voor het huishouden. Dinesh probeerde aan al die drukbezette mensen te denken, die deden wat hun te doen stond, en alles wat ze in de loop van de dag nodig hadden met zich meedroegen plus alles wat ze later op de dag weer mee terug naar hun huis moesten nemen. In de taferelen die hij zich herinnerde was er zoveel activiteit, was er zoveel beweging, een komen en gaan van zoveel mensen, in bussen en op fietsen, per trein of te voet, zoveel dat hij nog altijd enige moeite had om het allemaal te bevatten. Waar kwam iedereen vandaan en waar ging iedereen naartoe en waarom altijd zo gehaast? Natuurlijk kon je niet generaliseren, want het hing van de persoon in kwestie af, wat hij voor de kost deed en met wie hij zijn tijd doorbracht en het hing ook af van welke tijd van de dag en welke dag van de week het was. Maar waar ze ook heen gingen, doorgaans waren mensen ofwel op weg naar hun huis of ervandaan, ofwel rechtstreeks of via andere bestemmingen. Als ze buiten waren, wilden ze altijd naar huis, maar als ze thuis waren, wilden ze weer naar buiten, want was een huis uiteindelijk, hoe belangrijk het ook voor de bewoner leek te zijn, niet slechts een tijdelijk onderkomen, een plek waar je kon eten, uitrusten en slapen, waar je veilig de spullen kon opbergen die je in je leven nodig had, zodat je de volgende dag niet helemaal opnieuw hoefde te beginnen? Wat voor centrale en vaste plek een huis ook innam, het was slechts een provisorische rustplek op de weg die begon bij de geboorte en die eindigde met de dood, maar het was niet erg duidelijk waarom het zo belangrijk was om die weg af te leggen, waarom mensen dat bleven doen ondanks alle hindernissen die ze tegenkwamen.

Een golf koude lucht spoelde over Dinesh, verkoelde zijn huid en ebde weg. Terwijl hij tussen het gebladerte door naar de hemel keek en de lucht in kalme vlagen passeerde, ging zijn borst op en neer, langzaam op en neer. Misschien hadden mensen gewoon geen keus. Misschien moesten ze gewoon doorgaan, 's ochtends opstaan en doorgaan tot het avond werd. Ten slotte was ademen geen keuze of een gewoonte, het was niet iets wat je op commando begon of stopte. De lucht ging vanzelf het lichaam in en op dezelfde manier er weer uit, vanaf de eerste ademhaling tot de laatste, en misschien was leven dus in zekere zin geen keuze. Als je honger had, moest je eten en als je dorst had, moest je drinken. Als je blaas vol was, moest je plassen, en wanneer je darmen vol waren, moest je poepen. Benen moesten bewegen en dus gingen mensen ergens naartoe en dus waren er plaatsen waar ze naartoe gingen. Armen moesten ook werken, en dus moesten mensen dingen dragen en dus waren er dingen die ze pakten en vasthielden. Intussen bleef de lucht in- en uitstromen, bleef de borst op- en neergaan en misschien was dat alles, misschien was dat leven. Als je geen voedsel meer had, kon je niet meer eten en als je niet meer at, hoefde je niet meer te poepen. Als je geen water had, kon je niet meer drinken, en als je niet meer dronk, hoefde je niet meer te plassen. Als je benen gebroken waren, of verminkt of afgeschoten, hoefde je niet meer te lopen en datzelfde gold voor armen. Het betekende alleen maar minder werk te doen als je in leven bleef, als de lucht in en uit bleef stromen, de borst op en neer bleef gaan, op en neer, totdat uiteindelijk ook die stilviel en misschien was dat alles, als het zover was.

Dinesh draaide zich langzaam op zijn zij en keek richting de jungle, met zijn rug naar Ganga, die zich al had omgedraaid en met haar gezicht naar het rotsblok lag. Zijn loodzware oogleden sloten over zijn vermoeide, brandende ogen en zijn hoofd voelde zwaar aan op de grond. Terwijl hij ervoor zorgde niet te veel ruimte van het bed in beslag te nemen, trok hij zijn benen iets omhoog, rolde zich op en schoof heel voorzichtig iets achteruit naar Ganga, naar haar zachte warmte, zodat haar rug zachtjes tegen de zijne drukte en haar hielen tegen zijn kuiten rustten. Dinesh ademde geluidloos in en ademde geluidloos uit, hij kroop in elkaar, trok zijn schouders en hoofd in en toen voelde hij een grote, brede golf van vermoeidheid over zijn ontspannen lede- maten heen spoelen. In zekere zin kwam, zolang je nog leefde, in slaap vallen het dichtst bij het opgeven van de buitenwereld, en daarom was het merkwaardig dat je om te slapen nog altijd een veilige en beschutte plaats nodig had, je iets nodig had in de buitenwereld waarop je kon vertrouwen, om vast te pakken of tenminste te voelen, zoals een duiker vastzit aan een verankerde boot en er zo van verzekerd is dat zich aan de oppervlakte iets bevindt waarnaar hij kan terugkeren als het moment daar is. Di- nesh legde zijn linkerhand onder zijn hoofd en schoof nog iets achtcruit zodat hij Ganga's warme, levende aanwezigheid net iets meer tegen zijn rug voelde. En nu hij voor het eerst sinds hij wist niet meer hoe lang deze veilige beschutting voelde, liet hij zich langzaam wegdrijven in een diepe, geluidloze slaap.

8

VANUIT DE DIEPTE van de aarde bereikte hem een geluid, een donkere, sonore galm alsof de aarde van beneden naar hem riep. Dinesh rolde zich op tot een bal. Hij kromde zijn schouders, trok zijn benen omhoog en met de hand die tussen zijn hoofd en het aarden kussen lag klauwde hij in de aarde als om er nog inniger contact mee te hebben. Zijn lichaam verstijfde, ontspande zich vervolgens en zijn gezicht behield de kalme onwetendheid. Even was het rustig en toen klonk de galm opnieuw, harder en ditmaal minder sonoor, en niet alleen onder hem, maar ook boven hem en om hem heen. Opnieuw verstijfde zijn lichaam, zijn hand greep het kussen steviger beet, hij kromde zijn schouders nog meer en trok zijn benen op tot aan zijn borst, alsof hij ergens aanvoelde dat de wereld hem uit zijn vredige slaap probeerde weg te rukken. In een poging zich af te zonderen van alles wat van buitenaf naar binnen wilde dringen fronste hij zijn wenkbrauwen en kneep hij zijn ogen dicht, maar daarentegen voelde hij zich zweven tussen slaap en waak, in de vreemde liminale staat waarin je jezelf op een manier ervoer die je anders nooit zo ervoer, wanneer in het donkere bewustzijnsbeginsel levensvragen en -problemen kristalliseerden tot een simpele keus tussen ontwaken en blijven slapen, tussen je bij de wereld voegen en afgezonderd blijven, hoewel de keus in zekere zin geen keus was, want vroeg of laat moest je toch wakker worden, vroeg of laat zouden licht, lawaai, honger of de aandrang om te plassen iemand ertoe dwingen op te staan en zich aan te sluiten. Met zijn hoofd helemaal ingetrokken en zijn voorhoofd gerimpeld in concentratie probeerde Dinesh zich weer terug in zijn staat van onbewustheid te sussen, de keuze die hem werd voorgehouden uit te stellen, maar ergens in de verte hoorde hij een lichte luchtruis, een veraf gesuis dat langzaam overging in gefluit, als van iets glads en zwaars dat door de lucht omlaagvalt en toen de fluittoon steeds hoger werd, had hij het gevoel zelf te vallen, of de aarde onder hem als het ware was geweken en hij met zijn hoofd omlaag door het donker viel, en ondertussen werd de fluittoon steeds hoger en schriller totdat die ineens ophield. Kennelijk was de keuze voor hem gemaakt. Als een emmer die lange tijd onder in een put heeft gelegen en die met een ruk aan het touw wordt opgehaald opende hij zijn ogen. In de verte klonk een luide, verreikende explosie.

Het was pikdonker en hij werd omringd door een volledige, indringende stilte. Dinesh bleef, enigszins verward, in slaaphouding liggen en langzaam werden de verste randen van de stilte doorbroken door gedempt jammerende menselijke stemmen. Hij ging op een zij liggen en op een elleboog leunend richtte hij zijn hoofd op. Zijn ogen waren gezwollen en zijn hoofd woog zwaar, alsof het vol glasscherven zat. Het liefst wilde hij weer gaan liggen en zijn ogen sluiten, maar hij wist dat er iets aan de hand was waar hij zijn aandacht bij moest houden. Hij wreef in zijn ogen, haalde een hand door zijn haar en herinnerde zich toen dat hij getrouwd was. Hij draaide zich om om naar Ganga te kijken, maar die was er niet. Hij lag midden op het bed en Ganga lag niet tussen hem en de rots waar ze had gelegen toen ze gingen slapen. De kreukels in de sari aan zijn kant van het bed liepen door over haar kant van het bed, alsof er helemaal niemand naast hem had gelegen. Uit de richting van het kamp klonk weer een gefluit, hoger en duidelijker dan de keer ervoor. Het werd door enkele andere gevolgd, waarbij elk nieuw gefluit het voorgaande overlapte, en toen volgden er, nog altijd in het kamp maar veel dichter bij hun stukje oerwoud, explosies, elke nieuwe explosie harder en overweldigender dan de voorafgaande. Dinesh ging rechtop zitten en keek ongerust om zich heen. Op de open plek heerste nu de bijna volledige duisternis die aan de dageraad voorafgaat, maar hij kon nog wel de waterfles naast de rots zien staan, de potten en pannen en de lichtbruine tas aan het voeteneinde van het bed. Hij voelde een onaangenaam bonken opkomen onder in zijn borst. Hij ging op zijn knieën zitten en zocht opzij van het bed naar de slippers van Ganga, en toen hij ze niet vond, stond hij snel op en wankelde duizelig achteruit tot hij tegen de rots kon leunen. Met beide handen erop steunend probeerde hij zijn evenwicht te hervinden. Hij wachtte tot hij zeker was rechtop te kunnen staan, rechtte zijn rug en keek toen weer opzettelijk langzaam om zich heen, alsof hij Ganga alleen maar niet zag omdat hij om onverklaarbare redenen niet goed keek. Hij deed zijn best rustig te blijven. Hij zakte op zijn knieën en tastte met zijn vlakke handen het gedeelte van de sari af waarop ze eerder had gelegen om zijn handen te laten bevestigen wat zijn ogen zagen. Misschien had ze alleen maar naar de wc gemoeten en zou ze zo terugkomen, of misschien had ze gewoon zin gehad om een stukje te lopen. Maar omdat ze elkaar misschien voorgoed zouden kwijtraken als hij de open plek verliet om haar te gaan zoeken, kon hij maar het beste blijven waar hij was tot ze terugkwam. Toen echter, nog maar half wakker, herinnerde hij zich zijn huilbui voordat ze in slaap vielen, dat Ganga zich daar geen raad mee had geweten en dat ze daarna, om na te kunnen denken, alleen had willen zijn en niet had willen praten, en Dinesh wist ineens met zekerheid dat ze naar het kamp was teruggegaan. Langzaam kwam hij overeind. Hij wachtte even tot hij stevig stond en zette het toen, met opeengeklemde kaken en gespannen spieren, zo hard als hij kon op een rennen. De planten en varens tussen het bed en de rand van de open plek vertrappend liep hij de jungle in zonder achterom te kijken, maar eenmaal daar werd hij onmiddellijk door de dikke vegetatie en de duisternis afgeremd en moest hij zijn voeten voorzichtig optillen en neerzetten om niet te struikelen over planten en wortelknoesten. Hij voelde zich fysiek een stuk slechter dan voordat hij was gaan slapen, alsof zijn lichaam, na sinds maanden een paar uur echte slaap, ineens besefte hoeveel slaap het had gemist. Zijn zware hoofd wiebelde, zijn gewrichten waren stijf en op de tast steun zoekend bij takken en stammen bewoog hij zich alsof hij dagenlang ziek in bed had gelegen. Maar hij vond zijn weg tussen de bomen door, hij hervond zijn evenwicht en zijn benen werden steviger en konden steeds beter zijn gewicht dragen. Bij elke granaat die in de verte viel trok ook zijn verdoving steeds wat meer weg, alsof met elke dreun iets van de dikke, zware brij in zijn hoofd werd weggeschraapt en open ruimte ontstond om te kunnen denken. Hoogstwaarschijnlijk was Ganga terug naar het kamp gegaan om haar vader te zoeken. Het was haar eerste nacht zonder hem en waarschijnlijk was ze naar de tent gegaan om zich ervan te vergewissen dat hij in orde was. Vermoedelijk had ze de beschietingen in het kamp gehoord, had ze zich zorgen om hem gemaakt en was ze vertrokken met de bedoeling daarna direct weer naar de open plek terug te keren. Of ze was vertrokken voordat de beschietingen waren begonnen, wat aannemelijk leek, want waarschijnlijk was hijzelf meteen wakker geworden nadat de eerste granaat was gevallen en als zij toen was vertrokken, had hij haar moeten zien. Heel waarschijnlijk had ze niet meer kunnen slapen, ze had immers gezegd dat ze niet meer in slaap kon komen als ze eenmaal wakker was, en toen ze in de stilte wakker liggend bedacht dat haar vader er niet was geweest toen zij naar de tent waren gegaan om te eten, had ze waarschijnlijk de behoefte gevoeld om te gaan kijken of hij al terug was, of hij daar sliep en het eten dat ze voor hem had achtergelaten had gegeten. Behalve natuurlijk als ze tot het besef was gekomen dat haar vader helemaal niet meer van plan was om naar de tent te gaan, dat hij haar waarschijnlijk voorgoed had verlaten en dan had ze om een andere reden besloten om naar het kamp te gaan. Misschien was ze overstuur door zijn huilbui, misschien vond ze hem een zielige slappeling en was ze, dacht ze, alleen beter af, maar dat kon ook de reden niet zijn, want hij had haar laten zien dat ze, in elk geval tot op zekere hoogte, op hem kon rekenen, toen hij ondanks apert gevaar de open plek had verlaten om te gaan kijken waar dat dreigende geluid vandaan kwam. Misschien was ze alleen maar naar het kamp gegaan om een paar spullen die ze daar had gelaten op te halen, geld of eten of een kledingstuk. Dinesh had geen flauw idee, maar hij wist dat hij daar maar niet te veel over na moest denken. Het belangrijkste was om haar te vinden en er zeker van te zijn dat ze veilig was; als hij wilde kon hij later, als ze weer bij elkaar waren en als er tijd was, wel uitgebreid nadenken over waarom ze was weggegaan.

Dinesh keek op en zag dat hij zonder het te beseffen de rand van het kamp had bereikt. Hij stapte nog even door, ging steeds langzamer lopen en bleef toen staan. Dikke, kolkende rookwolken zwollen omhoog de blauwzwarte lucht van de dageraad in en legden donkergrijze sluiers over grote delen van het kamp. Voor zover hij uit wat hij zag kon opmaken brandden er twee of drie vuren rondom het centrum van het kamp, maar hij kon niet zien wat er brandde en iets ten zuiden vanwaar hij zich bevond stonden ook twee tenten aan de rand van het kamp in brand. Daarnaast stond een niet-ontwortelde maar wel in tweeën gespleten kokospalm; zijn bladeren kronkelden rondom op de grond als schroeiend haar, de kokosnoten lagen her en der als hoofden verspreid over het puin. Overal in het kamp werd doordringend gegild en geschreeuwd en her en der vanuit de jungle rondom het kamp waren de gedempte salvo's hoorbaar van de kleine draagbare mortieren van de beweging. Natuurlijk had hij geweten dat het kamp werd beschoten, want op de open plek en onderweg in de jungle had hij de explosies en het gejammer gehoord, maar nu pas, nu wat hij had gehoord zich zichtbaar voor hem ontrolde, drong het werkelijk tot hem door dat Ganga niet alleen de open plek had verlaten, maar dat ze, als ze zich inderdaad in het kamp bevond, ook blootstond aan de beschieting. Dinesh deed enkele wankele stappen voorwaarts. Toen begon hij wat harder te lopen en ineens zette hij het op een rennen. Zo snel als hij kon liep hij in zuidwestelijke richting naar de tent van Ganga, maar hij was de buitenste rand van het kamp nog niet eens gepasseerd of boven zijn hoofd klonk een fluittoon, het geluid van zwaar metaal dat door de lucht raast. Hij liet zich plat neervallen op de nauwelijks zichtbare grond, met zijn knokkels stijf tegen zijn ogen gedrukt. De granaat explodeerde op enige afstand naar het westen, ergens in de buurt van de kliniek. Het was te ver weg om zich zorgen over scherven te maken, maar voor alle zekerheid wachtte hij even, toen keek hij op en zag in de verte stof- en rookwolken opstijgen. Net toen hij wilde opstaan, explodeerde er vlak bij de eerste een tweede, ditmaal niet door gefluit voorafgegane granaat, en hij liet zich weer op de grond vallen met zijn gezicht tegen de aarde. Opnieuw wachtte hij, stond toen op en zette het weer op een rennen. Hij rende zo hard als hij kon door de grotendeels lege buitenkant van het kamp, maar hij ging langzamer lopen toen hij aankwam bij de meer bevolkte gedeelten, waar mensen en dingen steeds dichter opeengepakt waren. Aan alle kanten klonk gehuil, gejammer, gegil en geschreeuw en in het vrijwel donker zag hij alleen maar zwetende lichamen, wringende handen, stampende voeten en vertrokken monden. Een paar schuilgangen waren al bedekt met golfplaat en palmbladeren, maar de meeste vluchtelingen bevonden zich nog bovengronds, verdrongen elkaar in verschillende richtingen, sommige op zoek naar verwanten, andere naar de beste schuilplaats, weer andere omdat ze kennelijk niets beters wisten te doen. Dinesh ging nog wat langzamer lopen en probeerde zich te oriënteren, even na te denken om er zeker van te zijn dat hij de juiste handelwijze had gekozen. Hij was nog niet bij Ganga's tent, maar het was mogelijk, besefte hij, dat ze bij het horen van de beschietingen had besloten uit de tent te vluchten en naar de open plek terug te keren en dan zouden ze elkaar misschien kruisen zonder het te weten, hij op weg naar haar tent en zij op weg terug. Dinesh keek om zich heen in een poging te midden van de langsrennende menigte een gezicht te herkennen, maar het was onmogelijk er in de niet-aflatende stroom mensen een te isoleren. Zijn ogen kwamen tot stilstand op het enige wezen daar dat volledig roerloos stond, een kleine bewegingloze jongen voor een tent, die alleen af en toe even te zien was tussen alle voorbijrennende mensen door. Hij leek een jaar of acht, negen, droeg een vieze blauwe korte broek en geen hemd. Hij stond daar in gedachten verzonken voor zich uit te staren, zijn wijd open ogen lege zwarte schoteltjes, alsof hij aan iets heel anders dacht dan aan wat er om hem heen gebeurde.

In het zuiden viel een granaat en Dinesh begon weer te rennen. Nu viel er weer een, achter hem in het noorden, in het stuk oerwoud vlak bij de open plek, maar hij kon niet stoppen om om te kijken want het was het beste, wist hij, om zo snel mogelijk bij Ganga's tent te komen. Hoogstwaarschijnlijk zou ze zolang het schieten doorging de dekking van de schuilgang in de tent niet verlaten, hoogstwaarschijnlijk bleef ze waar ze was en zou hij haar daar aantreffen, maar als ze toch overwoog tussentijds naar de open plek te gaan, dan moest hij er zo snel mogelijk naartoe, anders zouden ze elkaar misschien mislopen. Hevig hijgend, omdat hij weinig kracht had en sinds lang niet zoveel had gerend, liep hij zo hard als zijn vermoeide benen het toelieten. Op de achtergrond van zijn gehijg klonk weer een fluittoon, hoger en duidelijker dan de voorafgaande. Dinesh liet zich op de stoffige grond vallen, verborg zijn gezicht in zijn handen, sloot zijn ogen en wachtte. Hij hoorde vlakbij stemmen, een man en een vrouw riepen, en toen hij snel rechts van hem keek, zag hij vanonder een over een schuilgang liggende golfplaat twee gezichten kijken, die hem wenkten erbij te komen. Het leek erop dat ze hem herkenden, al kon hij dat niet met zekerheid zeggen, maar hij had geen idee wie ze waren en kon zich hoe dan ook niet permitteren erbij te kruipen, want hij moest zo snel mogelijk naar Ganga toe. Als hij haar in de tent aantrof, konden ze samen in de bunker schuilen, elkaar stevig vasthouden tot het trillen van de aarde plaats zou maken voor stilte. Ze zouden hun armen om elkaar heen kunnen slaan en samen ademen, elkaar troosten en ook als er vlak bij hen een granaat zou vallen, zou het niets uitmaken, want samen in dezelfde bunker schuilen betekende dat als een van de twee stierf, de ander waarschijnlijk ook zou sterven, dat ze de gelegenheid hadden samen dood te gaan op een kleine, besloten plek. Het werd uiteraard een ander verhaal als een van hen gewond raakte, maar als zij dat was, zou hij zo goed mogelijk voor haar zorgen, haar rondrijden in een rolstoel en haar wassen en alles doen waar ze behoefte aan had, tenzij ze beiden gewond raakten, maar dan was er des te meer reden om samen te zijn, zodat ze elkaars handicaps en gebreken konden opvangen.

De granaat explodeerde in het zuiden, zo luid dat het bijna oorverdovend was. De grond trilde hevig en dikke, scherpe wolken verzengende stof stegen op. Dinesh bleef liggen met gesloten ogen terwijl zware granaatscherven recht door de lucht voorbijschoten. Toen hoorde hij aan zijn linkerkant iemand schreeuwen en zijn hoofd omdraaiend opende hij zijn ogen en gluurde tussen zijn vingers door om te zien wat er gaande was. Op de grond lag een oude man wiens rechterbeen er half af lag. Hij bloedde hevig uit zijn knie maar hij leek niet zozeer van de pijn te schreeuwen als wel uit ongeloof over wat hem was overkomen. Dinesh stond bevend op en probeerde zich te oriënteren. Hij had geen idee waar hij zich bevond; hij voelde zich ineens merkwaardig versuft. Voor zich uit zag hij van niet zo ver dikke rook komen, uit een van de gebouwen van de kliniek die kennelijk volledig in brand stond, niet de lerarenkamer, maar het hoofdgebouw, dat met de klaslokalen. Dat betekende dat hij, om in de buurt van Ganga's tent te komen, min of meer dezelfde richting moest aanhouden, alhoewel iets meer naar het zuiden. Hij draaide zich om en stond op het punt zijn weg te vervolgen, toen het geschreeuw naast hem overging in een vreemde combinatie van hijgen en gorgelen. Hij keek achterom en zag dat de oude man met beide handen kluiten aarde van de grond schraapte en het bloeden probeerde te stelpen door de aarde gelijkmatig over de bloedende stomp uit te strooien. Dinesh probeerde zo hard als hij kon te rennen, maar op de een of andere manier leek alles te vertragen, als in een droom waarin je in alle haast moet vluchten maar je je om een duistere reden slechts langzaam kunt bewegen. De grond onder zijn voeten was zwartgeblakerd en hij voelde de hitte door de zolen van zijn slippers heen. De lucht was dik van rook en zwavel, bijna onmogelijk in te ademen, en alle contouren leken vreemd vervormd – de verschroeide huid en haren van een lichaam, het glimmende plastic van smeltende tenten – alles was gedeformeerd door de gloed en de hitte en werd vertekend als dingen die door een holle lens worden gezien. Afgezien van tassen, pannen, flessen en andere zaken die her en der verspreid op de grond lagen, in alle haast verloren of achtergelaten, leek het kamp ineens ontdaan van menselijk leven. Behalve degenen die gedood of gewond waren en de mensen die verbijsterd naast hen zaten, leken alle vluchtelingen zich in schuilgangen te bevinden. Dinesh passeerde een man die een kleine, slaphangende jongen in zijn armen hield; de man midden veertig, de jongen twaalf of dertien, waarschijnlijk zijn zoon. Hij deed met de jongen in zijn armen enkele passen in een richting, draaide zich abrupt om en deed enkele passen in de tegenovergestelde richting, en vervolgens, niet wetend waarheen te gaan met het dode kind, bleef hij staan en keek Dinesh aan als vroeg hij hem de weg. Dinesh bleef doorlopen waarbij hij zijn best deed zijn blik zo ver mogelijk vooruit gericht te houden. Hij liep langs een vrouw die op de grond geknield zat voor het lichaam van een jong meisje. Met de overtuiging van een moeder die weet hoe ze haar kind moet aanpakken, bewerkte ze de borst van het meisje met haar vuisten alsof ze haar, als ze maar hard genoeg stompte, zover zou weten te krijgen dat ze van angst of uit schuldgevoel reageerde. De ogen van de vrouw waren groot en gezwollen, haar mond hing open en de aderen in haar hals waren opgezet. Dinesh kon niet nalaten even bij haar stil te houden en hij realiseerde zich dat hoewel ze uit alle macht schreeuwde, er geen geluid over haar lippen kwam, dat feitelijk niets geluid maakte. Hij besefte dat de wereld om hem heen volledig stom was. Hij had geen idee hoe lang dat al zo was. Misschien kon hij al een tijdje niet horen, verbeeldde hij zich dat de mensen schreeuwden, terwijl hij alleen maar afging op de uitdrukking op hun gezichten, verbeeldde hij zich granaten te horen exploderen terwijl hij in feite afging op het trillen van de grond onder zijn voeten en de golven hete, opstijgende lucht die over hem heen spoelden. Dinesh keek op, probeerde de stilte rondom in zich op te nemen en voelde zich ineens kalm, of probeerde zich alleen maar kalm te voelen.

Hij begon weer te lopen, snel noch langzaam. De grond onder zijn voeten werd langzaamaan minder heet, de rook minder dik terwijl hij in zuidelijke richting liep, naar een gedeelte van het kamp dat kennelijk nog niet onder vuur was genomen. Hij kwam ontegenzeggelijk in de buurt van Ganga's tent; alles kwam hem vaag bekend voor, de netjes opgestelde tenten, de ligging van de onbedekte schuilgangen, zijn afstand en positie ten opzichte van de nog steeds brandende kliniek en toen herkende hij niet ver voor hem uit aan de afmeting en de manier waarop het blauwe zeil tussen de stokken door hing, de achterkant van Ganga's tent. Ineens wist hij zeker dat hij weinig kans had haar daarbinnen aan te treffen, waarschijnlijk was ze meteen na de aanvang van de beschietingen naar de open plek vertrokken, maar desalniettemin voelde hij een vreemde spanning in zijn lichaam toen hij naderbij kwam, alsof zijn voeten wilden blijven waar ze waren maar een onzichtbare aan zijn borst verbonden staaldraad hem overeind hield en voorttrok. In weerwil van zijn aarzelende lichaam kon hij het niet laten om zich behoedzaam van de achterkant van de tent, langs het kuiltje waarin ze de avond tevoren rijst hadden gekookt en waarin nog de sintels en zwartgeblakerde stukjes hout van het vuur lagen, naar de voorkant van de tent te begeven. Daar lag Ganga op enkele tientallen centimeters van de ingang op haar buik met haar armen voor zich uit gestrekt. Haar voeten lagen kruiselings in een vreemde hoek en haar roze jurk was tot boven haar knieën opgeschoven zodat de koffiekleurige huid van het onderste gedeelte van haar bovenbenen en haar kuiten onbedekt was. Ze lag met haar gezicht de andere kant uit en Dinesh liep voorzichtig in een wijde boog om haar heen als om haar zo min mogelijk te storen. De rechterkant van haar hoofd, dat enigszins opgezwollen leek, drukte op de grond. Haar linkeroog stond half open en de rechtermondhoek van haar geopende lippen kuste de aarde. Onder haar middel lag een dikke plas bloed, niet veel maar meer dan genoeg, en rustig, alsof de draad die hem overeind hield voorzichtig omlaagging, zakte Dinesh op zijn knieën. De aarde onder hem beefde. De lucht was te warm en te zwaar om in te ademen. Hij streek met zijn handen door zijn haar, dat nu na het wassen met zeep dikker en droger was, en wreef ze vervolgens over de bovenkant van zijn dijen, over de pas gewassen sarong. In zijn borst was een gevoel van beklemming, als van lucht die wegliep en hij sloeg zijn armen stevig om zich heen als moesten die hem steunen. De lucht in zijn borst bleef weglopen en in een poging het gevoel dat hij ging stikken te bezweren, leunde hij op beide handen voorover, legde zijn gezicht op de grond en kokhalsde herhaaldelijk. Er kwam niets. Hij veegde de aarde die aan zijn vochtige voorhoofd kleefde weg, probeerde zijn hoofd op te tillen, maar de lucht in hem ontsnapte nog steeds en niet in staat om op te kijken kokhalsde hij nogmaals en schraapte zijn keel alsof er halverwege zijn luchtpijp iets vastzat dat er niet uit wilde. Hij streek smekend zijn beide handen over de grond. Hij probeerde zijn longen met lucht te vullen, zijn lichaam schrap te zetten en zijn middenrif in bedwang te houden, maar ondanks zijn inspanningen bleef zijn borstkas verkrampen. En terwijl hij, als iemand die in het donker valt en elk moment verwacht de grond te raken maar blijft vallen, tevergeefs naarstig zocht naar iets om zich aan vast te klampen, draaide hij zich uitgeput op zijn zij en bleef zo, afgezien van zijn geluidloos kokhalzen, roerloos liggen.

Men heeft geen idee wat er op zulke momenten gebeurt. In de loop van het gewone leven waren er momenten waarop je vollediger ademde, waarop je merkwaardig duidelijk aanvoelde de grenzen van het dagelijks leven te kunnen overschrijden, dat je met een ademtocht de wereld in je lichaam kon opnemen en in zijn totaliteit en voor altijd in je kon bergen. En als die momenten bestonden, was het misschien ook zinvol te bedenken dat er momenten waren waarop je min of meer volledig uitademde, waarop je borstkas ineenkromp en je gedwongen werd toe te zien hoe de lucht uit je longen ontsnapte, hoe die door de atmosfeer naar buiten werd gehaald en je dientengevolge slonk, zo klein werd dat je al snel zou oplossen in die buitenwereld. Hoewel elk moment van in leven zijn bestond uit in- en uitademen, in en uit, zonder ooit op te houden, aangezien ademhalen onafhankelijk van keus of gewoonte gebeurde, was het misschien een verbond tussen de borst en de atmosfeer, waarover de geest niets te zeggen had. Hoewel leven op zich niets anders was dan een schommeling tussen deze gesteldheden, tussen de lucht inademen en hem weer uitgestoten hebben, tussen onbewust pogen de wereld te omvatten en vervolgens gedwongen te zijn alles weer op te geven, was het misschien alleen op die zeldzame momenten van meer volledige inademing of uitademing dat de relatie tussen jou en de wereld die je altijd had ingeademd expliciet werd, die momenten waarop je werkelijk de grenzen zag van integratie en desintegratie waartussen je altijd had geschommeld vanaf je eerste pijnlijke schreeuw bij je geboorte, die de grootste poging was om alles van buitenaf te integreren, tot aan je laatste ademtocht bij je dood, wanneer je volledig uit je lichaam werd gezogen en ten slotte in de atmosfeer opging. Het was onduidelijk wat er precies gebeurde terwijl de lucht uit Dinesh' longen bleef weglopen en zijn borstkas zo verkrampte dat die bijna inklapte, terwijl de grond onder zijn voeten onophoudelijk natrilde en hij met glazige, benevelde ogen opzij naar Ganga's lichaam keek, maar misschien ging, terwijl hij daar roerloos lag, vooral dit door Dinesh' gedachten: dat hij minder van de wereld in zich had dan ooit tevoren, dat de lucht die hij verloor hoogstwaarschijnlijk niet vervangen zou worden, ondanks zijn ingespannen pogingen die daarna weer in te ademen, en dat zijn borstkas, al zou die zolang hij nog leefde altijd wel wat lucht bevatten, nu voorgoed veel minder lucht kon opnemen en hij als een oude man of als een invalide van nu af aan alleen nog maar kleine, voorzichtige teugjes lucht tot zich kon nemen, tot hij stierf en uiteindelijk volledig mocht desintegreren.

Dinesh sloot zijn ogen en probeerde tevergeefs op te staan; hij was niet in staat de inspanning op te brengen. Hij rolde zich op zijn rug en probeerde opnieuw zijn bovenlichaam op te richten, maar ook ditmaal lukte het hem niet; zijn kracht was zo over zijn gehele lichaam verdeeld geweest, dat die zich niet meer op een bepaalde beweging kon richten. Hij liet zijn hoofd weer op de grond zakken en ruggelings, parallel aan Ganga liggend staarde hij machteloos omhoog naar de dikke rook en stof die zich boven hem verspreidden. De ochtend was allang aangebroken, maar het daglicht werd gedempt door de massa's zwarte wolken. Die verspreidden zich boven het kamp zo ver zijn oog reikte en vormden hoge spiralen waar zojuist granaten waren gevallen en dingen in brand stonden, maar waren hier en daar dun genoeg om een glimp van de kleurloze hemel erachter door te laten schemeren. Dinesh sloot opnieuw zijn ogen en probeerde zich te concentreren, alsof hij iets moest doen voordat de resterende lucht in zijn longen op en hij tot niets meer in staat was. Dankzij de grootst mogelijke krachtsinspanning lukte het hem deze keer rechtop te gaan zitten en hij probeerde zijn gedachten te ordenen. In een poging de situatie te begrijpen keek hij weer naar Ganga, waarbij niet haar halfgeopende oog of het bloed dat onder haar buik vandaan was gesijpeld zijn aandacht trok, maar het feit dat ze daar zo stil, en in zekere zin intact, naast hem lag. Hij voelde de behoefte zijn armen om haar heen te slaan, haar vast te pakken en haar stevig tegen zich aan te drukken, maar haar omhelzen zou haar alleen maar nog meer bezoedelen, en terwijl hij zijn handen onder zijn knieën stopte zodat ze zich niet uit zichzelf naar haar zouden uitsteken, keek hij rusteloos om zich heen om te zien of hij haar op een andere manier kon beschermen. Heen en weer wiegend keek hij vertwijfeld in het rond en toen hij niet vond wat hij wilde, trok hij zijn handen onder zijn knieën vandaan, plaatste ze op de grond voor hem en streelde de aarde nogmaals met zijn vlakke handen. Hier ging hij enige tijd mee door, als het ware de aarde smekend hem te helpen en toen begon hij langzaam vooroverleunend met zijn handen de grond weg te duwen. Die was hard, maar hij drukte er met al zijn gewicht op, alsof hij erdoorheen wilde stoten, alsof hij, als hij zijn handen er maar diep genoeg in kon steken, de grond waarop Ganga lag in zijn geheel kon oplichten en hij haar zo in zijn armen in veiligheid kon brengen zonder haar broze lichaam aan te hoeven raken.

Ineens hield Dinesh op met duwen en zijn hoofd oprichtend keek hij naar Ganga's armen. Die lagen uitgestrekt achter haar hoofd, de rechter in een toevallige hoek en de linker helemaal uitgestrekt met de hand bijna loodrecht op de pols. Zonder de linkerhand uit het oog te verliezen schoof Dinesh er op zijn knieën naartoe en ineengedoken bestudeerde hij de lange, slanke vingers, die enigszins gebogen waren, maar zich niet meer vouwden en ontvouwden zoals de afgelopen nacht in haar slaap. Hij veegde zijn stoffige hand af aan zijn sarong en aarzelde even voordat hij langzaam, bijna schuw, net als op de open plek de avond ervoor, het topje van haar duim tussen zijn duim en wijsvinger nam. Voorzichtig streek hij over de harde nagel en het fijne netwerk dat haar duimafdruk vormde, sloot zijn ogen en concentreerde zich vol verwachting. Geen beweging. Hij verplaatste zijn duim en wijsvinger naar haar pols, sloot zijn ogen en wachtte weer geconcentreerd. Daarna boog hij zich over Ganga heen, legde zijn slaap tegen de hare en wachtte nogmaals zwijgend. Aanvankelijk gebeurde er niets en toen golfde een spiertrekking geluidloos van Dinesh' maag omhoog naar zijn keel. Zijn lippen gingen vaneen en zijn hoofd schoot met een ruk achterover, en terwijl hij met stijf op elkaar geperste lippen zo ver als hij kon van Ganga vandaan achteruitschoof probeerde hij uit alle macht de beweging in zijn keel te smoren. Hij bleef in elkaar gedoken zitten, alle spieren gespannen, zijn voorhoofd tegen de grond en pas toen de golf voorbij was en hij zeker wist dat er geen andere meer zouden komen ontspande zijn lichaam, hoewel hij zijn ogen gesloten hield en zich niet verroerde. Onder hem trilde de grond zachtjes, bijna aangenaam. Er kwam een vlaag warme lucht voorbij, kleefde even aan zijn vochtige huid voordat ze losliet. Dinesh lichtte zijn hoofd op en keek naar Ganga. Hij kon niet ademhalen, maar hij verloor geen lucht meer, en alsof hij niet was overtuigd door wat zijn vingertoppen niet hadden gevoeld, schoof hij centimeter voor centimeter, met ingehouden adem, naar haar middel. Ervoor zorgend dat hij uit de buurt van het donkere plasje bij haar middel bleef, reikte hij voorzichtig over haar buik naar de zoom van haar jurk en trok die over haar knieën omlaag naar haar schenen, zodat haar dijen niet langer onbedekt waren. Hij bekeek haar van top tot teen als om er zeker van te zijn dat alles in orde was, schoof toen voorzichtig een hand onder haar linkerschouder, de andere ergens onder haar linkerdij waar geen bloed was. Hij hield haar zo voorzichtig mogelijk, maar tegelijk stevig vast, want hij wilde niet te veel in contact met haar warme lichaam komen en tilde de linkerkant van haar lichaam voorzichtig van de grond op zodat ze geheel op haar rechterzij lag. Hij had haar langzaam en voorzichtig op haar rug willen draaien, maar zodra hij haar voorbij de loodlijn van haar zwaartepunt had gedraaid, kantelde haar lichaam vanzelf door en viel ze soepel met een zachte, onhoorbare plof op haar rug.

Nu lag Ganga voor hem, slap en stil. Haar halfgeopende ogen keken omhoog in verschillende richtingen, alsof de lucht iets verwarrends had. Haar rechterwang, die tegen de grond had gelegen, was bedekt met aarde, evenals het ooglid en de wenkbrauw aan die kant en het gebied rondom de rechterslaap was vreemd opgezet. Dinesh boog zich naar haar gezicht, liet zich langzaam zakken en bracht zijn wijsvinger naar haar linkeroog. Zo voorzichtig als hij kon raakte hij het ooglid net boven de wimpers aan en drukte de dunne huidplooi omlaag zodat haar oog gesloten was. Het was iets moeilijker om het rechteroog te sluiten vanwege de zwelling om de rechterslaap, maar hij schoof het ooglid helemaal omlaag, op een wit reepje aan de onderkant van het oog na; beide ogen waren nu min of meer gesloten en haar uitdrukking was minder verward. Met zijn wijs- en middelvinger veegde hij de aarde van haar rechterwang, voorzichtig maar vastberaden. De huid bleef stoffig ook nadat het vuil was weggeveegd; met zijn tong bracht hij op zijn vingertoppen wat speeksel aan, dat hij zachtjes over de wang uitwreef zodat die een frissere kleur bruin kreeg. Met zijn wijsvinger over Ganga's linkerwenkbrauw strelend veegde hij alle stof weg en streek hij alle haartjes glad, daarna deed hij hetzelfde met de rechterwenkbrauw; die liep vanwege de zwelling rondom de slaap recht omhoog. Hij ging achteroverzitten en bekeek Ganga's gezicht onderzoekend; dat zag er nu veel beter uit. Daarna richtte hij zich op haar buik. Het gedeelte van de jurk dat de buik bedekte was zwart en nat, met hier en daar zand. Daar waar de jurk kennelijk gescheurd was, glom het meer en aan één kant zat iets wat dof glansde en op de rand van een granaatscherf leek. Ook de grond waarop haar buik had gelegen was bedekt met bloed, stroperig maar minder donker van kleur. Dinesh keek onbeweeglijk omlaag naar dit mengsel van bloed en aarde. Tot voor kort had al dat bloed nog door de aderen van Ganga's lichaam gestroomd en het vreedzaam voorzien van alles wat het lichaam nodig had om te leven. Op bepaalde momenten op zijn tocht door haar aderen en slagaderen had het de verschillende compartimenten van haar kloppende hart gepasseerd, maar nu lag het open en bloot voor de aarde en de lucht, gedwongen om te stollen, op te drogen en zijn warmte te verliezen. Dinesh knoopte zijn hemd open, dat ondanks het zweet nog steeds vaag naar limoen geurde, trok het uit en legde het behoedzaam over Ganga's buik zodat de wond en het bloed geheel bedekt waren. Achteroverleunend overzag hij haar lichaam, dat er nu toonbaarder uitzag en zelfs kon doorgaan voor het lichaam van iemand die diep in slaap was. Alsof hij nog niet kon geloven dat er geen bloed meer door haar lichaam stroomde, boog hij zich omlaag naar haar borst en legde zijn oor tegen haar borstbeen, dat iets uitstak omdat haar borsten enigszins naar opzij vielen. Hij paste op niet te hard te drukken voor het geval het bloed door de druk uit haar buik zou gutsen. Dinesh sloot zijn ogen en deed opnieuw zijn best iets te horen.

Misschien klopte het hart alleen maar omdat het bloed door het lichaam rondging en niet andersom. Misschien circuleerde het bloed inwendig alleen maar constant omdat, zoals een mechanisme dat kinetische energie van de ene soort omzet in de andere, het levende lichaam in een voortdurende beweging was; en misschien diende het hart in dit proces alleen maar om de bloedcirculatie om te zetten in geluid, in een gestage tweetrapsklop met als enig doel de aard van iemands innerlijke leven over te dragen aan andere levende wezens, om de gesteldheid en het gevoel van de eigenaar via zijn ritme en volume door te geven aan hen die dichtbij genoeg waren om het te horen. Dinesh ging langzaam rechtop zitten en keek om zich heen als hoopte hij ergens in alle ellende een instrument te vinden waarmee het vergoten bloed opgezogen en, teruggeheveld in Ganga's lichaam, weer in gang gezet kon worden. Hij keek naar links en toen naar rechts en toen hij recht voor zich uit keek, naar de ingang van de tent, zag hij voor het eerst het roestvrijstalen bord dat Ganga daar de avond ervoor voor haar vader had neergezet. Het lag ondersteboven en eromheen lag de witte rijst en de dahl die ze had gekookt, nog steeds vochtig maar nu vermengd met aarde. Het was duidelijk dat haar vader er niet van had gegeten, dat hij niet terug was gekomen en dat niet van plan was geweest; en waarschijnlijk had zij, toen ze het daar zag staan, besloten om het aan iemand anders te geven of misschien op zoek naar haar vader te gaan en erop toe te zien dat hij het zou opeten. Dinesh keek naar het eten; als je het nu at, zou je harde zandkorrels te kauwen krijgen; toen keek hij stilletjes een andere kant op, boog voorover en kokhalsde. Hij kokhalsde nogmaals, alsof een onzichtbare hand in zijn keel stak en er alles probeerde uit te halen, niet alleen lucht maar ook de materie waaruit hij bestond; hij kokhalsde en braakte, de ene golf na de andere; hij kokhalsde en braakte en kon niet meer ophouden. Aanvankelijk probeerde hij zich te verzetten, zijn ogen traanden en de aderen in zijn hals en op zijn slapen zwollen op, zijn nek en armen spanden zich in om te voorkomen dat zijn lichaam zich binnenstebuiten keerde en toen, alsof er stilletjes een knop was omgezet, leek hij ineens toe te geven. Zijn lichaam verslapte, hij hield zijn hoofd dichter bij de grond en liet, zonder zich te verzetten, de ene na de andere golf door zijn maag en keel passeren, alsof het hem allemaal niets meer kon schelen. Hij wachtte lijdzaam elke volgende golf af, als wilde hij nu juist zelf dat zijn lichaam zich leegde, als wilde hij juist zelf losgelaten worden in de atmosfeer, al was het moeilijk, nee niet moeilijk maar feitelijk onmogelijk om te zeggen of hij zich zo volledig overgaf uit eigen wil of omdat het onvermijdelijk was. Per slot van rekening konden mensen dingen meemaken waarna hun gedachten en gevoelens niet meer te bevatten waren. Er gebeurden dingen waarna men geen andere keuze had dan slechts van buitenaf toe te kijken, hoe lang of hoe intens je ook geprobeerd hebt ze te volgen, hoe graag of met hoeveel zelfverwijt je ook de situatie hebt proberen te begrijpen, hoe consciëntieus je ook aan je eigen ervaringen denkend daar conclusies uit probeert te trekken. Niet zozeer omdat jij niet dezelfde dingen hebt meegemaakt, niet zozeer omdat je in andere omstandigheden leeft, in een bevoorrechte situatie, in een ander deel van het land of zelfs in een heel ander land, niet omdat je het vanuit een ander gezichtspunt probeert te begrijpen, met een ander vocabulaire, of in een volslagen andere taal, niet zozeer vanwege deze redenen die je tenminste kunt proberen niet mee te laten spelen, maar omdat, wanneer iemand zoiets meemaakt, zijn innerlijke leven, dat ooit op zijn gezicht werd uitgedrukt, van zijn huid wordt gescheiden, in zijn lichaam verdwijnt en niet meer tot uitdrukking komt. Als een elastiek dat te strak wordt gespannen, als de zachte, buigzame plantenstengel die wordt gebogen en knakt, als het tere slakkenhuis dat vertrapt en vermorzeld wordt, gebeurt er iets en plotseling blijkt uit niets van iemands handelingen, uit niets van wat hij zegt, uit niets van de bewegingen van zijn handen of voeten, uit niets van zijn gebaren of gelaatstrekken wie hij is of wat hij meemaakt, en is het niet langer mogelijk een idee te hebben van wat hij denkt of voelt, of hij überhaupt denkt of voelt, of zijn lichaam nog door een menselijk wezen wordt bewoond of dat het menselijke wezen, omdat hij zo onttakeld is gewoon in een overigens onmerkbare uitademing uit zijn lichaam is weggeglipt in de atmosfeer, waarbij hij in zekere zin een levend lichaam achterlaat, met handen die nog grijpen en voeten die stappen zetten, een blaas die zich vult en darmen die zich legen, een borstkas die, hoewel onmerkbaar, nog steeds op- en neergaat, terwijl intussen de essentie in zijn blik en uitdrukking verdwenen is.

Nu zat Dinesh rechtop, zijn armen om zijn middel geslagen, zijn ogen glazig en wazig. Onder hem trilde de grond niet meer en om hem heen bewoog de lucht niet meer. Op zijn nauwelijks hoorbare gehijg en de intense stuiptrekkingen van zijn lichaam na was alles om hem heen rustig. De zware, meedogenloze lucht was opgeklaard en daarvoor in de plaats heerste nu een vreemde, gewichtloze stilte. Een zachte windvlaag woei uit de richting van de kust, waar de zee geluidloos bleef aanrollen en zich geluidloos bleef terugtrekken over het zand. Dinesh leunde langzaam voorover en legde zijn handen op de grond voor hem. Omlaag starend begon hij de zachte grond te strelen, teder en ritmisch, steeds langzamer tot hij stopte alsof er een gedachte in hem opkwam, opnieuw begon te strelen, steeds langzamer tot hij stopte, en opnieuw begon te strelen. Intussen bleef zijn borst in beweging, ging onafhankelijk van hem op en neer, aanvaardde en retourneerde, terwijl de atmosfeer in en uit bleef stromen, de kleine hoeveelheid lucht die hij nog steeds kon bevatten.

Dankwoord

De tekst in zijn huidige vorm kon alleen tot stand komen dankzij de grote inzet van een klein aantal mensen, die ik nooit genoeg zal kunnen bedanken: mijn agent A.S.; mijn uitgever C.B.; de dokter S.S.; de schrijver S.D.; mijn raadgever P.K.; mijn vrienden K.B., G.K., S.K., O.N., L.P., J.R. en L.S.; mijn zuster A.A.; en bovenal mijn ouders M.A. en S.D.R.A.